"Mi corazón se ha conmovido al leer el maravilloso trabajo del Dr. James C. Scott acerca de *Aimee Semple McPherson y el Ministerio de Habla Hispana en Los Ángeles: Lecciones para la Iglesia Cuadrangular del Siglo Veintiuno.* Encontrar las raíces, la visión y la pasión entre la Hermana McPherson y la Iglesia Hispana en los primeros años nos desafían a nosotros hoy a abrazar esas raíces y anhelar tener ese mismo corazón amplio y sin fronteras."

DR. SERAFÍN CONTRERAS GALEANO
REPRESENTANTE DE MISIONES CUADRANGULARES INTERNACIONALES EN LATINOAMÉRICA

Ésta maravillosamente escrita disertación es un eslabón de nuestra herencia hispana que ha faltado durante mucho tiempo—los hispanos ya no se encuentran relegados sólo a un estado de misiones, sino que ahora pueden abrazar de lleno su patrimonio Cuadrangular. Podemos por este medio alcanzar una comprensión más profunda del concepto de lo que Aimee Semple McPherson pretendía que la Iglesia Internacional del Evangelio Cuadrangular fuera. Es una lectura/estudio imprescindible para todo miembro hispano del movimiento Cuadrangular como también para cualquier persona con una pasión por extender el Evangelio entre los perdidos del mundo de idioma español.

DR. P. MICHAEL FREDERICK Y REV. LOLITA J. FREDERICK
MISIONEROS CUADRANGULARES
EN AMÉRICA LATINA POR 25 AÑOS

Conozco al Dr. James C. Scott lo suficiente como para no sorprenderme que su tesis doctoral este relacionada con el ministerio en español. Su amor por el pueblo latino lo ha llevado a bendecirnos con esta investigación que llega en un momento en que estamos renovando nuestro compromiso como Iglesia Cuadrangular hacia la evangelización y el discipulado de la comunidad hispano-hablante en Estados Unidos.

La visita investigativa que el Dr. Scott hace de los años de fundación del movimiento Cuadrangular revelando el corazón y la pasión de la Hermana McPherson y Angelus Temple por alcanzar a aquellos de idioma español, así como el establecimiento de los principios bíblicos que posicionan a la iglesia local como protagonista de la gran comisión transforman la lectura de este libro en verdaderas lecciones para la Iglesia Cuadrangular del siglo XXI, desafiándonos a trascender ministerialmente nuestras fronteras culturales y lingüísticas.

REV. DANIEL PRIETO
REPRESENTANTE NACIONAL CUADRANGULAR HISPANO
EN LOS ESTADOS UNIDOS

Aimee

La Gente Hispana
Estaba en Su Corazón

Aimee… La Gente Hispana Estaba en Su Corazón
por James C. Scott, Jr.

Publicado por Foursquare Media
1910 W. Sunset Blvd, Suite 200
Los Angeles, California 90026
(213) 989-4494

A menos que se indique lo contrario, todos los textos bíblicos han sido tomados de la Santa Biblia, versión Reina-Valera, revisión 1960. Usado con permiso.

ISBN: 978-09802392-6-350995

Impreso en los Estados Unidos de América

Aimee

La Gente Hispana
Estaba en Su Corazón

*Aimee Semple McPherson Y El Ministerio
de Habla Hispana en Los Ángeles: Lecciones Para
La Iglesia Cuadrangluar del Siglo Veintiuno*

por
JAMES C. SCOTT, JR.

SEATTLE, WASHINGTON
MAYO 2008

Foursquare Media

Una Palabra Acerca Del Uso de Términos en Los Documentos Históricos de La Iglesia Cuadrangular

ESTE PROYECTO DE TRADUCCIÓN, busca ser una interpretación dinámica equivalente para todos los lectores de habla hispana sin importar su nación de origen.

Los términos mexicano(a) o español(a) fueron usados durante el nacimiento y desarrollo del ministerio hispano del Templo Ángelus para identificar en forma generalizada a todas las personas de origen y cultura latinoamericana. Con el propósito de mantener la integridad del texto original, ambos términos son conservados en la traducción de todas las citas históricas referenciadas entre 1923 y 1944.

El termino hispano(a), fue creado sólo hasta los años setenta por el gobierno de Los Estados Unidos para identificar a personas de raza latina y sus descendientes. Por esta razón, la palabra hispano(a) es usada solamente a través de los comentarios personales del autor de este libro.

ROSE MARY DAVIDSON
Octubre, 2008

Prólogo

MUCHAS GENERACIONES han esperado por un libro de este calibre. Desde el establecimiento de Angelus Temple en Los Ángeles, California a través de la respuesta obediente de Aimee Semple McPherson a la voz del Espíritu Santo, la denominación Cuadrangular ha sido testigo de un gran crecimiento entre los hispanos, tanto en los Estados Unidos, como en Latinoamérica. Nunca antes, alguien ha compilado información tan abundante y valiosa y conclusiones tan profundas con relación al impacto de la iglesia madre sobre la población de habla hispana de los Ángeles, como lo ha hecho el Dr. James C. Scott.

El crecimiento explosivo del Templo Angelus que comenzó en 1923, y su consecuente inclusión de los hispanos en su ministerio, sin mencionar la expansión rápida de las iglesias Cuadrangulares a nivel local y global, ha sido opacado por el ministerio poderoso y milagroso de la hermana McPherson. Ella sostuvo cruzadas masivas en algunas de las ciudades más grandes de America; fue una pentecostal "balanceada" en una era de mucho extremismo; también fue una mujer en un mundo dominado por hombres; y fue la pastora de una de las primeras mega iglesias en los Estados Unidos. Aun así, sin intención propia, la vida de Aimee Semple McPherson atrajo más atención y fue el tema de más libros, estudios y documentales, que su propio ministerio.

Para aquellos que buscan aprender y experimentar el fruto de Dios en sus ministerios, la aparición de esta obra le ofrece al lector, una herramienta útil para ir mas allá de la gran personalidad de una líder verdaderamente excepcional, a las verdades, historias y lecciones aprendidas del ministerio de la iglesia fundada en su visión.

Cuando Dios usa a una persona para establecer una iglesia poderosa que influencia significativamente a una gran ciudad, como en el caso de Aimee Semple McPherson en Los Ángeles, es importante entender que El no estaba necesariamente buscando hacer una declaración relacionada con los dones impartidos sobre la persona que había escogido, sino que buscaba revelar la obra de su corazón lleno de amor hacia otros. En su libro, el Dr. Scott ha logrado mucho en ayudarnos a entender la naturaleza, metodologías y motivos que "movieron" a Dios en nombre de una diversidad de pueblos viviendo en una región metropolitana como Los Ángeles.

Aunque no limitadas a aquellos que ministran o desean ministrar a hispanos, las verdades encontradas en este libro son transferibles a casi cada ambiente. Este libro le ayudara al lector a descubrir la visión, estrategia, y estructuras que originaron el avance fenomenal del ministerio evangelístico y discipulador de Angelus Temple, el cual Dios uso para dar entrada a la gente de habla hispana de Los Ángeles a Su familia.

Pueda que las páginas de este libro no causen que su iglesia crezca automáticamente o alcancen a la diversidad de gente que vive en su vecindario. Sin embargo, el análisis excelente y conclusiones del Dr. Scott's de la obra de Dios en Angelus Temple, si aceptadas e implementadas, colocaran a cualquier persona en un lugar donde el Reino de Dios será extendido a través de sus esfuerzos obedientes, tal y como sucedió a través del ministerio de Aimee Semple McPherson. Y, para la persona de cualquier grupo étnico que se pregunta si Dios puede usarle para alcanzar a otros, ¡estas páginas son un recordatorio de la intención de Dios de alcanzar a todo el mundo!

Que cada líder cristiano descubra la promesa del Señor de "construir Su iglesia.

Jaime Tolle
The Church On The Way
La Iglesia En El Camino
Los Ángeles, California

Reconocimientos

Debo mi gratitud más profunda a;

Mi esposa, Melinda, por su fe constante en mí y por su compromiso absoluto con mi trabajo doctoral y la culminación de mi disertación que sirve como el fundamento de este libro. ¡Melinda, te amo y estoy agradecido con Dios por ti!

Al liderazgo de mi familia de iglesia, La Iglesia Cuadrangular, por su apoyo durante el trabajo doctoral, el acceso sin restricciones a los archivos y otros materiales y el ánimo para proceder con este proyecto. Este libro habría sido imposible en su detalle sin su asociación, permiso, oración y estímulo.

Al Rev. Ted Vail y el Departamento Multicultural de la Iglesia Cuadrangular y al Rev. Rick Wulfestieg, Coordinador de Publicaciones de la Iglesia Cuadrangular. Ted; tu deseo de patrocinar el desarrollo de la disertación en un libro le ha dado a nuestros lideres hispanos su historia en la historia de La Iglesia Cuadrangular. Rick; tu vasta experiencia y consejo nos ayudaron a completar el trabajo evitando distracciones innecesarias.

A la Rev. Rose Mary Davidson quien asistió con la recolección de información para la disertación y fue especialmente de gran ayuda con mi investigación y traducción de documentos al idioma español. La contribución más significativa de Rose Mary fue la traducción de la disertación al español y su texto fue el utilizado para la edición de este libro. Rose Mary; Las palabras no pueden expresar mi apreciación por creer en este proyecto y tu supervisión cuidadosa desde la primera reunión hasta esta publicación. *¡Gracias por tu amistad y comunión como servidores de Jesucristo!*

Al Dr. Jaime Tolle por proveer el prólogo y al Dr. Serafin Contreras, Rev. Daniel Prieto y el Dr. Mike y Rev. Lolita Fredrick por sus comentarios. Estoy agradecido por su amistad y significa mucho para mi que ustedes hayan sido fortalecidos y animados en su descubrimiento de cuan importante fue el ministerio de habla hispana para la hermana McPherson al comienzo de la Iglesia Cuadrangular.

A todos aquellos quienes han formado parte del desarrollo de este libro; como la Rev. Eliana Caudillo por su excelente trabajo de revisión y edición del texto en español, a Michelle Glush por el formato del texto, desarrollo de capítulos y creación y diseño grafico de la portada, y al Rev. Steve Zeleny, por su invaluable ayuda en confirmar información histórica y proveer fotos y graficas. Sus habilidades serán apreciadas por todos aquellos quienes lean este libro.

Y a Jesús, quien me salvo y me ha permitido servirle. ¿Qué palabras podrían ser escritas para representar lo que significas para mí? Te amo y estoy tan agradecido de que me hayas permitido dar este regalo a mis hermanos y hermanas hispanos.

Tabla de Contenido

Capítulo Uno

¡Grita, Porque el Señor Te ha Dado la Ciudad!

LOS ÁNGELES Y EL TEMPLO ÁNGELUS no estaban en la mira cuando Aimee ministró en Mount Forest, Ontario. Sería preciso decir también que el ministerio pastoral nunca fue su objetivo cuando se comprometió con el ministerio evangelístico. El favor y la gracia del Señor estaban con Aimee desde el comienzo, y ella estaba segura de haber sido llamada a ser una evangelista. Las primeras reuniones que comenzaron en Ontario, Canadá, en 1915, eventualmente "se extendieron de Maine a Florida, a través de Los Estados Unidos y la Costa del Pacífico, como también a un buen número de países extranjeros" (Van Cleave 1992, 8). El fruto de las campañas se multiplicó en gran manera a medida que miles de hombres y mujeres recibían al Señor Jesús como Salvador, experimentando el bautismo con el Espíritu Santo, y siendo liberados de todo tipo de enfermedad, esclavitud y pecado (A. S. McPherson 1923, 88-527).

Sin embargo, incluso con la gran cosecha de almas que confirmaban el llamamiento de Aimee, el Señor había comenzado a moverse en ella con respecto al ministerio pastoral, mientras ministraba como evangelista itinerante en sus campañas de avivamiento a comienzos de 1919 (Blumhofer 2003, 238). Ella reflexionó sobre este sentido de destino dirigido por el Espíritu Santo durante los años previos a la construcción y dedicación del Templo Ángelus (A. S. McPherson 1923, 160-165, 528). En aquellos primeros días, las reflexiones en oración de la hermana McPherson la guiaron a descubrir la voluntad de Dios para una nueva etapa de su vida, que fue sorprendente aun para ella misma. ¡La hermana McPherson plantaría una iglesia centrada en el avivamiento!

¿Por qué plantar otra iglesia en Los Ángeles, y por qué Dios querría que ella lo hiciera? El ministerio creciente de la hermana McPherson sería fácilmente visto como su mejor respuesta a las oportunidades y necesidades que ella veía en Los Ángeles.

Sin lugar a dudas, su campaña de avivamiento en Los Ángeles en enero y febrero de 1919, buscó suplir las necesidades espirituales de las personas que asistieron a las reuniones, pudiendo haber hecho el compromiso de ministrar allí regularmente para garantizar que el evangelio fuese predicado y que se orara por los hombres, mujeres y niños.

Usualmente, los evangelistas de aquel entonces, tal como los de hoy, no plantan iglesias. Esto es tanto más en el caso de Aimee, porque ella no sólo era evangelista, sino que era una mujer evangelista pentecostal que se vestía con elegancia y se peinaba con estilo, quien antes de cumplir treinta y un años de edad había superado la viudez, el divorcio, y era madre de dos niños, Roberta y Rolf. También era conocida como una mujer a través de quien el Señor Jesús ministraba sanidades confirmadas y hacía obras excepcionales. Las señales y los prodigios fueron sus compañeros de ministerio, ¡y ella le dio toda la gloria a Jesús! Con respecto a la aceptación pública, el reconocimiento del nombre, y éxitos evangelísticos de la hermana McPherson, para ella fue tan extraordinario convertirse en la pastora de una iglesia local, tal como hubiera sido para el reverendo Billy Graham establecerse en una gran ciudad y fundar una iglesia a la estatura de su ministerio de evangelización.

La hermana McPherson continuó dirigiendo su ministerio evangelístico pentecostal nacional e internacional incluso durante la planificación y construcción del Templo Ángelus. Pero, ¿podría continuar como evangelista y servir como pastora? Ella era reconocida por los milagros de sanidades que causaban aprobación y controversia, crítica y escrutinio. No se sintió satisfecha con sólo predicar el mensaje de salvación por fe en Jesucristo, sino que también fue valiente al proclamar que cada creyente debía buscar el bautismo con el Espíritu Santo. Los avivamientos de Topeka, Kansas, y la Calle Azusa, habían ocurrido solamente una década antes y gran parte de la iglesia no estaba acostumbrada a este tipo de predicación, ni había una aceptación difundida de esta teología. Más aún, ¿qué clase de iglesia produciría una plantación evangelística de "señales y milagros"? Si la hermana McPherson iba a plantar una iglesia, ¡no había ninguna duda de que plantaría y pastorearía una iglesia centrada en el avivamiento!

Aunque la vida personal de la hermana McPherson, su mensaje pentecostal, ministerio de sanidad, y el éxito nacional de sus reuniones evangelísticas, sugerían que ella no sería la que plantaría una nueva iglesia centrada en el avivamiento de los Ángeles a comienzos de los años veinte, esto es exactamente lo que hizo. Era cierto que ella estaba experimentando una cosecha fructífera para el Reino de Dios como evangelista, pero al mismo tiempo, estaba segura de que había sido llamada a plantar una iglesia en Los Ángeles: "*Eventualmente, de manera gentil e incuestionable, Dios comenzó a mostrarme que me había dirigido a Los Ángeles, para 'Construir una casa para el Señor.' Su mensaje me animó, '¡Grita, Porque el Señor Te Ha Dado La Ciudad!'*" (A. S. McPherson 1973, 118).

Los ojos de la hermana McPherson fueron abiertos a las oportunidades para la evangelización, el ministerio, y los milagros si ella quería servir a Jesús ministrando a los que vivían en Los Ángeles. Dios había ajustado su visión espiritual sobre una ciudad completa y no sólo una esquina, una comunidad, o incluso un grupo de gente en particular. La ciudad de Los Ángeles, en toda su diversidad lingüística y cultural era el terreno que el Señor le estaba dando junto a quienes se unirían a ella en los años venideros. Lo que comenzó como un centro de avivamiento, llegaría a convertirse en un movimiento interdenominacional que daría nacimiento a una comunidad mundial de iglesias llamada: La Iglesia Cuadrangular.

Un Nuevo Centro de Avivamiento Será Plantado en Los Ángeles

La hermana McPherson recordó las palabras del Señor Jesús acerca de Los Ángeles y una nueva iglesia:

> *Fue entonces, que el Señor, de manera gentil, pero incuestionable, comenzó a revelarme Su voluntad, mostrándome que había existido un método en el plan de Su dirección, y que en esta ciudad de Los Ángeles "Construiríamos Una Casa Para el Señor"* (A. S. McPherson 1923, 529).

La voluntad de Dios en esta etapa de su vida era establecer un lugar de adoración y enseñanza—una iglesia local—en obediencia al mandato de Jesús, y se convertiría en el fundamento de su legado como una líder de la iglesia del siglo veinte. En todos los aspectos importantes y esperados, esta nueva iglesia sería como toda iglesia; se predicaría la palabra de Dios, se adoraría Dios, la comunidad sería evangelizada, y los convertidos llegarían a ser discípulos. Con la misma importancia de todo lo expresado anteriormente, esta nueva iglesia también sería dedicada a Jesús como aquel que bautizaría con el Espíritu Santo para que el pueblo de Dios pudiera disfrutar de un avivamiento pentecostal continuo y los milagros que sólo él puede hacer por su pueblo y, a través de su pueblo, a la comunidad que sirve.

La hermana McPherson estaba plantando un centro de avivamiento que alcanzaría a los perdidos con el poder de Espíritu Santo. También entrenaría a hombres y mujeres para ir alrededor del mundo evangelizando y pastoreando congregaciones en el mismo poder. Y la ciudad de Los Ángeles estaba lista para el avivamiento:

Ciertamente la ciudad de Los Ángeles estaba lista para un avivamiento. Esta gran metrópoli parecía ofrecer a Dios la oportunidad más grande que cualquier otra ciudad de Los Estados Unidos. Miles de turistas venían de cada estado de la unión, muchos para hacer de ella su lugar de residencia. Las estadísticas de entonces indicaban que diariamente estaban llegando dos mil personas a la ciudad. Sus otras necesidades, tales como casas, entretenimiento, autopistas, y parques habían sido provistas en la ciudad (A. S. McPherson 1973, 118).

Para la hermana McPherson era evidente que Los Ángeles, "donde el poder había descendido tan maravillosamente años atrás," ahora había caído en una apatía espiritual donde *"diversas diferencias doctrinales habían causado que muchos apartaran su mirada del Señor, y había hambre en la tierra"* (A. S. McPherson 1923, 161). Sin embargo, el avivamiento trae esperanza y un futuro nuevo donde *"los corazones hambrientos estaban orando fervientemente"* (A. S. McPherson 1923, 161). Los recuerdos de las obras de Dios en el pasado, y la carencia de la visitación actual de Dios, fueron instituyendo las bases espirituales para la transformación de esta gran ciudad. En Los Ángeles, muchos recordaban las obras poderosas de Dios y deseaban desesperadamente experimentar un derramamiento fresco de su gracia y misericordia. Había sequedad espiritual en la tierra, pero los que habían experimentado las lluvias primaverales del Espíritu Santo ¡estaban orando para que la lluvia tardía cayera ahora sobre la ciudad de Ángeles!

Para la hermana McPherson, el pensamiento inicial de plantar una iglesia, coexistía con su compromiso a la obra evangelística, por lo que le parecía que su hogar debía situarse en algún lugar en medio de Los Estados Unidos. De hecho, la idea de ministrar en Los Ángeles era más fácil de captar que el pensamiento de vivir y plantar una iglesia allí. Incluso cuando Dios le confirmó su voluntad, proveyendo una casa para su familia en Los Ángeles, Aimee recordó como *"frecuentemente nuestros corazones estaban maravillados preguntándose por qué el Señor nos había guiado a 'la pequeña casa que*

*Dios construyó' ubicada supuestamente en la lejana ciudad de Los Án-
geles"* (A. S. McPherson 1923, 529). Ella volvió a preguntarle al
Señor: *"Querido Señor Jesús... ¿no hubiese sido mejor, que hubieras situado nuestra casa en algún lugar al este o medio oeste, donde habría
sido más accesible?"* (A. S. McPherson 1923, 529).

La respuesta del Señor a la oración de la hermana McPherson
fue firme y clara: *"En esta Ciudad de Los Ángeles, 'Construiremos una
Casa para el Señor'"* (A.S. McPherson 1923, 529).

Dios fue muy bondadoso, y en los meses siguientes comenzó a
revelar por qué era tan importante vivir en Los Ángeles. El desarrollo
de la percepción de la hermana McPherson dentro de los propósitos
de Dios para la plantación de una iglesia nueva, es una lección para
todos aquellos que tienen la pasión de plantar iglesias, sin embargo,
también escuchan las preocupaciones expresadas debido a la "satu-
ración de iglesias" en una ciudad. A menudo, el enorme número de
iglesias existentes instiga los comentarios de quienes sienten que una
ciudad ya cuenta con iglesias suficientes para servir a la misma.
Había muchas iglesias—buenas iglesias— sirviendo a la gente de
Los Ángeles, pero el Señor Jesús dejó en claro por qué era necesario
plantar una iglesia más en esta gran ciudad:

> *Desafortunadamente, había pocos edificios grandes en los que
> se pudiera escuchar la Palabra de Dios en su riqueza pentecostal
> bendita. Aunque habían numerosas misiones e iglesias que pre-
> dicaban el evangelio completo, "eran una gota en el balde com-
> paradas con la necesidad"* (A. S. McPherson 1973, 118).

La decisión de plantar otra iglesia no se basó en el número de
iglesias, la totalidad de ministerio llevado a cabo, o incluso el éxito
relativo de los ministerios que servían fielmente en Los Ángeles. Más
bien, Jesús estaba guiando a la hermana McPherson a plantar otra
iglesia, por lo que no estaban llevando a cabo las congregaciones
existentes y los números de personas que no estaban siendo alcan-
zados por esas congregaciones fieles. Había más por hacer, y debía
plantarse otra iglesia para realizar la labor. Era como si Jesús estuviera

diciendo, Los Ángeles tendrá "iglesias suficientes" cuando la palabra de Dios sea plenamente proclamada, cuando cada persona tenga la oportunidad de escuchar y responder al evangelio en su plenitud, y cuando la comunidad sea completamente servida en todas las dimensiones de ministerio y servicio a la comunidad. El parámetro para determinar si había iglesias suficientes o demasiadas, se basó en necesidades de la comunidad y el número de gente que aún necesitaba escuchar las buenas nuevas.

Por lo tanto, Dios quería plantar esta nueva iglesia en Los Ángeles, porque el ministerio de la misma, llenaría un vacío en la proclamación de todo su consejo y reflejaría un compromiso con el ministerio del Espíritu Santo; una iglesia que invitaría y esperaría que el poder de Dios entrelazara la vida de la gente de maneras sobrenaturales. El Reino de Dios estaba siendo servido en la plantación del Templo Ángelus porque proveería una dimensión del ministerio que contribuiría a ayudar a completar el ministerio de la Iglesia en Los Ángeles.

El Templo Ángelus:
Dedicado a la Causa del Evangelismo Interdenominacional Mundial

El Templo Ángelus, la Iglesia del Evangelio Cuadrangular en Echo Park, fue plantado y dedicado el 1 de enero de1923 (A. S. McPherson 1923, 541). El ministerio de la hermana McPherson fue tan bien establecido y reconocido, que el servicio de dedicación del Templo Ángelus se llevó a cabo, libre de deudas, ante una congregación multitudinaria, dentro de un edificio que contaba con capacidad para más de 5.000 personas, con un cuerpo policial dirigiendo a la multitud. La esquina de Glendale Boulevard y Park Street se convirtió en un lugar intransitable.

El público es cada vez mayor. La policía está ansiosa. El tráfico debe desviarse hacia otras calles. Los oficiales luchan por mantener a la gente fuera de los accesos para que pasen los

autos…miles reunidos con la mirada en el templo [Ángelus]
(A. S. McPherson 1923, 543).

La hermana McPherson marchó por el pasillo central de la iglesia junto con ministros metodistas, bautistas, hermanos unidos, y
congregacionales quienes mantenían *"una posición firme en la Palabra poderosa de Dios… y la causa del Evangelio Cuadrangular"* mientras una multitud de jóvenes *"quienes esperan recibir entrenamiento
para la obra de evangelismo"* observaba (A. S. McPherson 1923, 545-
546). Y, como evidencia eterna a la misión de esta nueva iglesia, en
la placa exterior del templo se lee: *"DEDICADA a la Causa del
EVANGELISMO INTERDENOMINACIONAL y Mundial."*

Avivamiento, Grandes Multitudes y Vidas Transformadas

Se debe recordar que la pasión de la hermana McPherson era
ver a la gente salvada por la sangre de Jesucristo, bautizada en el Espíritu Santo, llevando las buenas nuevas, la llama del poder y la presencia del Espíritu Santo a un mundo que necesita
desesperadamente salvación, liberación y todo tipo de sanidad. La
multitud, el tráfico y la aclamación no eran realmente la noticia; la
razón por la cual la gente venía, se debía a que desde el primer servicio en Templo Ángelus, el fuego del avivamiento estuvo presente.

*Este avivamiento no fue causado por algún hombre o mujer,
sino que realmente descendió del Padre de la Luz. En ocasiones,
toda la audiencia se deshacía en lágrimas a medida que la quie-
tud y el silencio del Espíritu Santo descendían sobre el lugar.
Otras veces, parecía como si un viento recio celestial, barriera el
templo provocando cantos celestiales que eran indescriptibles.
Los mensajes maravillosos en el Espíritu eran expresados y la gloria del Señor descansaba como un manto sobre el lugar. Es imposible describir los muchos casos maravillosos en los que hemos
visto obrar a nuestro Dios* (A. S. McPherson 1923, 161-162).

El Templo Ángelus crecía rápidamente y es difícil describir en breves palabras todo lo que estaba ocurriendo; pero el reporte anual del Templo Ángelus, en 1930, provee un reflejo del ministerio de Aimee Semple McPherson y del Templo Ángelus a sólo siete años de la oración de dedicación. El reporte señala que el Templo Ángelus contaba con una membresía formal de 16.248 adultos. Durante la semana, generalmente había veintidós servicios dentro del edificio y sus alrededores. Las personas que asistían a los servicios de los domingos y días de semana, en el templo, que contaba con 5.300 asientos, casi siempre lo llenaban a capacidad. Había otros que aprovechaban la ventaja de la disponibilidad de una *sala para personas que desean permanecer de pie.* Existen reportes de que, a veces, alrededor de 2.000 personas se quedaban afuera debido a la multitud. Habían casi 130 clases de escuela dominical con un promedio de 2.000 adultos y niños en asistencia; también habían dos clases de sanidad divina cada semana con una concurrencia de 3.500 personas en cada clase (Zeleny 2006a).

La Iglesia Cuadrangular se inició en el corazón de esta gran ciudad de clase global—la comunidad de Echo Park cerca del centro de Los Ángeles, California—y su fundadora, Aimee Semple McPherson, tenía en su corazón a esta ciudad, desde el primer día de ministerio, toda la ciudad. El ministerio de la fundadora y del Templo Ángelus estaba enfocado primero en Los Ángeles como su "Jerusalén" y luego, en respuesta a Hechos 1:8, ir a las respectivas "Judea y Samaria y hasta los confines de la tierra." La hermana McPherson y el Templo Ángelus descubrirían pronto que obedecerían el llamado de ir hasta los confines de la tierra por medio de ministrar y amar a los residentes de Los Ángeles. Aunque la iglesia sería fiel enviando misioneros alrededor del mundo, pronto descubriría que no siempre tendrían que salir de su casa para tocar a las naciones del mundo.

Spanish Mission Turns Foursquare

"This gospel of the kingdom shall be preached in all the world for a witness unto all nations; and then shall the end come."

Unique Service Stirs Hearts

Enthusiastic Throng Acclaims the Declaration of Faith, and Are Received Into Worldwide Fellowship Amid Fervent Amens And Hallelujahs

There is a glorious field for the Master's work out at our Spanish Mission located on the corner of Pleasant and Las Vegas Streets. The work here is under the direction of Brother Cortes and Gamboa who

de la ASOCIACIÓN EVANGÉLICA de

49a. CON

Capítulo Dos

¡El Templo Ángelus Habla Español!

El Nacimiento y Desarrollo del Ministerio en Español del Templo Ángelus

LA HERMANA MCPHERSON había escuchado al Señor y ella creería lo que Dios le había dicho tocante a la ciudad de Los Ángeles. Así que se comprometió, junto a su nueva congregación, a la causa del evangelismo interdenominacional mundial. El 1 de enero de1923 la iglesia fue dedicada y el ministerio del Templo Ángelus se realizaba en inglés. Pero hacia enero de 1925, Margaret Jordan, la secretaria de la Asociación Misionera del Templo Ángelus, escribió en la revista Cuadrangular *Bridal Call* que,

> *Se ha establecido una obra entre los griegos en Los Ángeles. Entre otras iniciativas de la misión, se hallan las clases especiales de escuela dominical que han sido preparadas para los armenios, españoles y japoneses. Sin duda, el Señor está bendiciendo los esfuerzos de predicar el evangelio a cada nación* (Jordan 1925, 26).

En un artículo escrito por el Superintendente de la Escuela Dominical R. A. Powell, el describe, "*sin lugar a dudas, hay nueva innovación en nuestra obra. Por algún tiempo ha habido una clase para la gente que habla español; enseñada por un misionero que regresó de México*" (Powell 1925, 25). El mes siguiente, domingo, 15 de febrero de 1925, la congregación del Templo Ángelus leyó una gran invitación en el boletín de su iglesia:

> *¡ESPAÑOLES! ¡JAPONESES! ¡ARMENIOS! ¡ALEMA-NES!— ¡ATENCIÓN! ¿Sabían que tenemos una clase de escuela dominical para ustedes, enseñada por alguien de su nacionalidad e idioma? Ustedes encontrarán estas clases al lado oriental del primer balcón, les espera una cordial bienvenida. ¡VENGAN!* (Boletín del Templo Ángelus febrero 15-21,1925, 4).

Dos años después de la dedicación del Templo Ángelus, el liderazgo y la congregación estaban implementando un ministerio específico de lenguaje y estrategias interculturales para alcanzar a Los Ángeles. El primer gran paso fue el desarrollo de clases para grupos diversos como parte del calendario de la iglesia y procesos del entrenamiento del liderazgo en el Templo Ángelus. Cabe destacar, que entre los múltiples grupos que fueran ministrados, se hallaban las personas de habla hispana que asistían al Templo Ángelus y los hispanos de los barrios dispersos en el área de Los Ángeles.

El Instituto de Entrenamiento Evangelístico y Misionero

Cuando el Templo Ángelus estaba a punto de ser dedicado, la hermana McPherson reflexionó en todo lo que el Señor había hecho mientras ella ministraba como evangelista a través de la nación, y en todo lo que había ocurrido y que la había traído a este momento:

> *Los años de labor ardua, luchando contra el viento, lluvia y*

clima en carpas y campos abiertos; la bendición del Señor siempre presente, el llamado a construir una casa para Él en la ciudad de Los Ángeles por la causa del evangelismo y entrenamiento de obreros (A. S. McPherson 1923, 547).

Lo más significativo, es que desde el principio, la hermana McPherson vio el discipulado y entrenamiento como componentes de una iglesia local saludable; por lo tanto, ella estaba encantada de ver gente joven en ese primer servicio *"quienes esperan recibir entrenamiento para la obra de evangelismo"* (A. S. McPherson 1923, 545-546). El establecimiento de este nuevo centro de avivamiento, esta iglesia local, estaba inevitablemente ligado al entrenamiento de obreros. En pocas palabras, la hermana McPherson y la congregación del Templo Ángelus creían que tenían un mandato de llevar a la gente a Jesucristo. Luego, discipularlos y entrenarlos para que lleven a otros a Jesucristo. Los líderes futuros del Templo Ángelus estaban siendo hallados dentro de la cosecha; y el discipulado y entrenamiento fueron los medios por los cuales estos nuevos creyentes estaban siendo equipados para servir al Señor Jesús, a la congregación y a la comunidad.

La hermana McPherson comenzó a entrenar formalmente a hombres y mujeres para la obra del ministerio a pocos meses de la dedicación del Templo Ángelus. La primera generación de este componente clave del ministerio del Templo Ángelus se llamó Escuela de Entrenamiento Evangelístico Ángelus ("Escuela de Entrenamiento Evangelístico Ángelus" *Revista Bridal Call* julio-agosto 1922, 35). Esta escuela de entrenamiento, fue el primer paso de la hermana McPherson en cumplir con la misión de discipular y entrenar formalmente a los creyentes como parte del ministerio del Templo Ángelus. El 6 de febrero de 1923, la Escuela de Entrenamiento Evangelístico Ángelus abrió camino a un instituto más formal que se llamó Instituto de Entrenamiento Evangelístico y Misionero (Templo Ángelus Boletín 4 febrero, 1923, 3). El instituto se reunía en el edificio de administración (más tarde este edificio se convirtió en la residencia pastoral de la hermana McPherson) en el campus del Templo Ángelus con la intención de preparar a los estudiantes *"para el campo misionero en el extranjero y para el área de evangelización en casa"* (A. S. McPherson 1923, 593).

La cantidad increíble de trabajo para completar la construcción del Templo Ángelus, y la preparación simultánea para su dedicación, no disuadió o retrasó a la hermana McPherson para cumplir con su compromiso de *"capacitar al pueblo de Dios para la obra de servicio"* (Efesios 4:12). El anuncio del primer semestre de inscripción para asistir al instituto anunciaba que *"más de cincuenta"* estudiantes ya se habían matriculado para el tiempo en que el periódico fuera impreso ("Instituto de Entrenamiento Evangelístico y Misionero de Echo Park," *Revista Bridal Call* Febrero 1923, 19). Hacia finales del primer término, el 29 de junio de 1923, en una foto del cuerpo estudiantil y la facultad hay 105 personas—71 mujeres y 34 hombres—quienes eran parte de este nuevo instituto ("Miembros del Instituto de Entrenamiento Evangelístico y Misionero del Templo Ángelus. Final del Término 1923. Aimee Semple McPherson," *Bridal Call* julio 1923, 16-17).

Había un gran entusiasmo en cuanto al impacto que estos estudiantes tendrían a medida que fueran entrenados, se orara por ellos, y se enviaran a través de la nación y alrededor del mundo. La hermana McPherson se regocijó en que *"el flujo de multitudes cruza el umbral para escuchar la historia de Jesús y su amor, asir una antorcha encendida, fluyendo nuevamente hacia todos los rincones de la tierra, llevando con ellos el mensaje del Evangelio Cuadrangular—Jesús, el Único Salvador, Bautizador y Sanador, Jesús el Rey Venidero"* (A. S. McPherson 1923, 594). La expectativa establecida era que los creyentes nuevos algún día dejarían el Templo en servicio a Jesucristo.

La Educación Teológica y La Experiencia Práctica Sirviendo en un Avivamiento

El Instituto de Entrenamiento Evangelístico y Misionero era más que un lugar para estudiar la biblia. La hermana McPherson supervisaba el instituto, y era la directora e instructora más popular.

El currículo de estudio era la Palabra de Dios junto con las experiencias prácticas que provienen de servir en una iglesia centrada en el avivamiento. Para ella, el estudio bíblico y la experiencia práctica en un tipo de internado dentro una iglesia local vibrante, proveía la manera más efectiva para que un hombre o mujer fuera adecuadamente entrenado(a) para el ministerio.

Antes de que uno pueda entrenar a un obrero para que sea un evangelista por el poder del Espíritu, tal obrero necesita haber estado en un avivamiento, aprender a estudiarlo y saber qué es lo que hace que suceda. Antes de que un estudiante pueda convertirse en un pianista eficiente, debe tener un piano con el cual pueda aprender. Antes de que un carpintero pueda convertirse en un trabajador excelente, su entrenamiento debe ser tanto experimental como teórico. De la misma manera sucede con la escuela de evangelismo. Sería difícil para un hombre o mujer formal y entusiasta, llegar a enseñar a otros como llegar a tener un avivamiento real, estremecedor, que mueva a la comunidad en la ciudad y enséñale a otros como llegar a obtenerlo si él (ella) mismo(a) no lo ha experimentado. El llamado y enseñanzas principales deben provenir del Espíritu Santo" ("Escuela de Entrenamiento evangelístico Ángelus" *Bridal Call* julio-agosto 1922, 35).

El currículo inicial concordaba con la misión del Templo Ángelus, pues servía principalmente a esta congregación y ofrecía "doctrina, evangelismo, homilética, historia dispensacional y trabajo personal" (Blumhofer 2003, 255). Por supuesto, el "trabajo personal," o internado estaba siendo "enseñado" mejor en los fuegos de avivamiento de los servicios de la iglesia y clases de sanidad divina, como en otras reuniones durante la semana en el Templo Ángelus. Los estudiantes estaban viviendo y practicando lo aprendido en el salón de clase, ministrando en los servicios de la iglesia y alcances evangelísticos. Estos estudiantes estaban desarrollando sus dones únicos.

Fue esta vinculación intencional del ministerio de la iglesia local, la formación de discípulos, el entrenamiento de líderes, y la evaluación de las necesidades de la comunidad, lo que sugería que los líderes del Templo Ángelus debían desarrollar un ministerio de habla hispana y entrenamiento intercultural en todas las facetas de la vida de la iglesia.

La hermana McPherson consideraba a la congregación del Templo Ángelus como una comunidad lista para servir a Los Ángeles, y ella sabía que el discipulado y entrenamiento del liderazgo eran el puente entre los dones espirituales, los recursos de la congregación y las diversas necesidades de la ciudad. El Templo Ángelus existía para servir a las necesidades espirituales, físicas y personales de la comunidad y, para hacerlo bien, los líderes debían ser equipados para la tarea a cumplir. Por lo tanto, ella sabía que el ministerio en Los Ángeles, debía llevarse a cabo en idiomas diferentes al inglés y dentro de las culturas predominantes en esos días.

Colegio Bíblico (L.I.F.E.)
Faro de Evangelismo de la Iglesia Internacional del Evangelio Cuadrangular

Dios continuó prosperando al Instituto de Entrenamiento Evangelístico y Misionero, y debido al crecimiento del cuerpo estudiantil, pronto tuvo que trasladarse del edificio de administración al salón 500 del Templo Ángelus (Zeleny 2007a). Una joven, del grupo de estudiantes, en una carta enviada a su familia, hizo un comentario referente al número de estudiantes inscritos en las clases de la noche: "*En total, en las clases de la noche, hay alrededor de doscientos cincuenta inscritos en la Universidad del Maestro, entrenándose para servirle*" ("Cartas a Mamá," Revista Cuadrangular *Bridal Call* abril 1924, 24). Es posible que estos estudiantes asistieran a clases después de un día de labor plena sirviendo a sus familias o lugares de empleo. ¡La dedicación de quienes habían sido tocados por el fuego del avivamiento, era extraordinaria!

Eventualmente, el nombre del Instituto fue cambiado a Faro de

Evangelismo Internacional Cuadrangular (L.I.F.E.), una descripción más adecuada a su corazón y propósito; enseñar la palabra de Dios y para entrenar a hombres y mujeres para todo tipo de servicio cristiano facultado por el Espíritu Santo. De vez en cuando, L.I.F.E., el nombre con que se dio a conocer este instituto, se mencionaba en variaciones con su nombre inicial. En el anuario, *Prosigue*, publicado por el Faro del Evangelismo Internacional Cuadrangular (L.I.F.E.), se identifica a una fotografía como el cuerpo estudiantil del "Instituto Internacional de Evangelismo Cuadrangular" (*Prosigue* mayo 1926, anexo entre 48-49).

Nacimiento de la Universidad Bíblica L.I.F.E. Y Diversidad del Cuerpo Estudiantil

La Universidad Bíblica L.I.F.E. se inició el 17 de agosto de 1927 ("Mayor Educación," *Foursquare Crusader* 17 de agosto de 1927, 5). El propósito principal para fundar esta universidad, era de enseñar la Palabra de Dios y entrenar a hombres y mujeres para el ministerio evangelístico, misionero y pastoral. El objetivo fue siempre preparar a hombres y mujeres para ser la respuesta a la oración de Jesús por obreros en Mateo 9:35-38. Estos obreros, facultados y entrenados por el Espíritu Santo, irían haciendo discípulos por todo el mundo, enseñando lo que Jesús había dicho (lea Mateo. 28:19-20) y haciendo lo que Él había hecho (lea Juan 14:12) en el poder del Espíritu Santo (lea Hechos 1:4-5, 8).

El servicio de dedicación de la Universidad Bíblica L.I.F.E fue una celebración de la bondad de Dios y un testimonio de la obra profunda que Dios estaba haciendo en las vidas de los que eran miembros del Templo Ángelus. La hermana McPherson encontró a sus líderes futuros en la cosecha de su iglesia local, y tanto ella como la congregación descubrirían, para su gozo, que en la cosecha no todos hablaban inglés. El servicio de dedicación de las nuevas instalaciones se inició con la entrada de cientos de niños marchando y cantando, "Abran las Puertas para los Niños." El Templo Ángelus ahora contaba con los medios para reclutar, entrenar, y enviar obreros de iglesia, líderes, y pastores y tal reclutamiento comenzó con los niños.

Asombrosamente, con cada niño que asistía al Templo Ángelus y participaba en el departamento de niños, se daba por hecho que se inscribiría en el departamento de la Universidad Bíblica L.I.F.E., y si a través de sus años escolares eran fieles en su participación en el Templo Ángelus, probablemente algún día también se graduarían de la Universidad Bíblica L.I.F.E. En el Templo Ángelus, el discipulado y entrenamiento para el ministerio eran consistentes. Los niños marchaban con orgullo en las nuevas instalaciones, seguidos inmediatamente por los estudiantes de la Universidad Bíblica L.I.F.E. representando gran parte de Los Estados Unidos; pero también había estudiantes internacionales.

Es extraordinario que en 1926, sólo tres años después de la dedicación del Templo Ángelus, la Universidad Bíblica L.I.F.E tuviera este grado de representación nacional e internacional en su cuerpo estudiantil. El amor de Jesús, el poder del Espíritu Santo, los milagros que fueron parte del ministerio de la hermana McPherson, y el poder sanador de Dios en las vidas de estos creyentes, derribaron las barreras raciales, socio-económicas y nacionales, reuniendo a personas que nunca hubieran pensado estar juntas. Fue maravilloso experimentar la obra genuina de Dios a través de una comunidad de creyentes que disolvió las barreras, trayendo paz y unidad.

Oportunidades de Ministerio en Español en el Templo Ángelus Y la Universidad Bíblica L.I.F.E.

En 1927, el ministerio de habla hispana se convirtió en un componente central en la misión del Templo Ángelus, y el idioma español y los materiales, ahora estaban disponibles en el entrenamiento de líderes de L.I.F.E. Las oportunidades para que los de habla hispana recibieran enseñanza y un ministerio estable, incrementaron en los dos primeros años del ministerio del Templo Ángelus. Los acontecimientos más importantes y destacados fueron las clases y entrenamiento en español, como parte del currículo de la Escuela

Dominical de la iglesia, y las clases de ministerio que se enseñaban durante la semana.

Regularmente, había una clase de sanidad divina en español programada en el Templo Ángelus, la que fue iniciada a comienzos de 1927, y cada miércoles a la 1:30 p.m., los asistentes se reunían en el salón 500:

> *Verdaderamente Dios no hace acepción de personas, pues por su gracia ha derramado su precioso Espíritu Santo en nuestra reunión en español... era imposible cantar, porque incluso los músicos eran barridos por el poder del Espíritu Santo moviéndose en nuestro medio y los españoles alababan al Señor en otras lenguas a medida que el Espíritu les daba que hablasen. ¡Aleluya! ¡Dios aún está en el trono!* ("El Espíritu cayó en la reunión en español," *Foursquare Crusader* 14 de mayo de 1927, 8).

La hermana Anita McIntire, junto con su esposo James, servían como directores del Departamento Misionero de la Obra de Extensión Cuadrangular. Los McIntire comenzaron a coordinar y supervisar la clase de sanidad divina en español que ya estaba creciendo y reuniéndose cada miércoles a la 1:00 p.m. en el salón 120. Desde el primer día en 1925, los McIntire estaban demostrando ser de *"gran éxito y bendición para los obreros y los que hablan español que se reúnen para recibir salvación y sanidad"* ("La extensión del hogar de los McIntire saluda al grupo español," *Foursquare Crusader* 16 de julio de 1927, 8). El Templo Ángelus estaba comenzando a servir a las necesidades de la comunidad hispana de Los Ángeles, pero tanto el liderazgo como la congregación, estaban aprendiendo a ministrarles como participantes en la vida de la congregación. Paulatinamente, las puertas del Templo Ángelus fueron abriéndose a los hispanos de Los Ángeles.

Estoy Eternamente Agradecido

Tal vez no hay forma más eficaz para medir el impacto o la importancia de una iglesia local, que preguntarle a la comunidad donde la iglesia está localizada, si la misma, hace una diferencia en sus vidas. Anthony Rudolph Oaxaka Quinn, conocido mundialmente como el actor ganador de un Oscar, era el hijo de un mexicano-irlandés y de madre mexicana.

El joven Anthony vivía en una de las áreas mexicanas de Los Ángeles donde el Templo Ángelus ministraba, y fue tocado por Dios cuando su abuela fue sanada físicamente a través de la oraciones de los miembros del equipo ministerial del Templo Ángelus que la visitó (Epstein 1993, 377). Tiempo después, cuando Anthony visitó el Templo Ángelus, estaba asombrado de que blancos, negros y mexicanos pudieran adorar juntos y llevarse tan bien en la iglesia. Esta clase de armonía y compañerismo no había sido experimentada por él en ningún otro lugar de Los Ángeles.

Anthony comenzó a asistir al Templo Ángelus, y tocaba el saxofón en la banda del templo (George y Silverman 1999). Predicaba en español, en las esquinas de las calles y, en ocasiones, interpretaba para la hermana McPherson cuando ella ministraba en las comunidades de habla hispana. Anthony básicamente se sentía en casa cuando estaba en el Templo Ángelus: "*La vida de Anthony Quinn, hasta cumplir diecinueve años de edad, momento en que comenzaba su carrera en el mundo del espectáculo, estaba centrada en la Iglesia del Evangelio Cuadrangular*" (Epstein 1993, 378).

Aimee Semple McPherson y el Templo Ángelus dejaron una marca indeleble en la vida de Anthony Quinn, y este gran actor, tiempo después recordaría que lo recibido de parte de ella y de la iglesia fue "plena aceptación" (Epstein 1993, 380). Años más tarde, en una entrevista, el periodista Edwin Newman le preguntó a Anthony Quinn sobre sus experiencias en el Templo Ángelus, y, en pocas palabras, el confirmó el profundo amor y respeto que la hermana McPherson y el Templo Ángelus tenían por la comunidad mexicana de Los Ángeles:

Recuerdo un Día de Acción de Gracias, cuando en realidad y literalmente me estaba desmayando de hambre en la calle... y en esos días, si usted llamaba a una agencia del gobierno, sentía que nunca podría volver a recobrar su dignidad. El único ser humano que nunca le preguntaba de que nacionalidad era usted, lo que creía y cosas semejantes, era Aimee Semple McPherson. Todo lo que tenía que hacer era llamar y decir "tengo hambre" y en término de una hora, había una canasta de alimentos lista para usted. Literalmente, ella mantuvo viva por años a la mayoría de esa comunidad mexicana. Y por eso estoy eternamente agradecido (Epstein 1993, 380).

Anthony Quinn era niño cuando vino al Templo Ángelus, y sus observaciones son el tipo de reflexiones personales adquiridas a medida que uno gana perspectiva sobre la importancia de ciertos eventos en la vida. Estas reflexiones son más importantes porque son las de un católico mexicano bilingüe y bicultural, quien nunca hubiera podido encontrar este nivel de compasión y cuidado personal si esta pastora y su congregación, que hablaban inglés, hubieran servido sólo al idioma y cultura predominante de su vecindario. Ciertamente, Anthony Quinn fue el orador de habla hispana más famoso durante los primeros alcances evangelísticos del Templo Ángelus, pero su gratitud coincidía con la de miles que compartían su idioma y cultura en Los Ángeles.

La Universidad Bíblica L.I.F.E.
Ofrece un Curso de Estudio del Idioma Español

El Instituto de Entrenamiento Evangelístico y Misionero, que evolucionó para llegar a ser la recientemente dedicada, Universidad Bíblica L.I.F.E., era una extensión del ministerio del Templo Ángelus y por lo tanto, servía principalmente a la plantación de iglesias y ministerio de alcance evangelístico de la iglesia. Los cursos, la instrucción y las oportunidades de internado eran ofrecidas en inglés, pero debido a la presencia, cada vez mayor, de gente de habla hispana asistiendo a clases específicas de idioma, las reuniones del Templo Ángelus y el liderazgo de la hermana McPherson, que servía intencionalmente a la comunidad hispana, comenzaron a señalar un cambio necesario en el entrenamiento para servir a Los Ángeles y el ministerio local del Templo Ángelus.

La Universidad Bíblica L.I.F.E. respondió rápidamente a la creciente necesidad de servir a la comunidad hispana. Una selección de los cursos ofrecidos durante el otoño, que comenzaba en septiembre de 1927, demuestra la excelencia del trabajo de estudio y también confirma que el trabajo académico estaba especialmente ligado a la misión del Templo Ángelus: ortodoxia y ortopraxia eran ofrecidas a través del currículo y ministerio de la iglesia.

Esta conexión a la misión se destaca particularmente por una adición extraordinaria a los cursos obligatorios para nuevos estudiantes que no se habían graduado de la escuela secundaria: un curso de español para los estudiantes que hablaban inglés, en el primer año de curso preparatorio. Se requería que tales estudiantes lo tomaran como "*prerrequisito para el curso bíblico o evangelístico*" ("Gran apertura del período de otoño en el Faro del Evangelismo Internacional Cuadrangular," Revista Cuadrangular *Bridal Call* septiembre 1927, 35), y la inclusión de este curso era una respuesta a las oportunidades de ministerio en la comunidad hispana y la necesidad de líderes que pudieran hablar en español. La lista 1 provee una selección de los cursos de trabajo ofrecidos en L.I.F.E. en septiembre de 1927.

Lista 1.
Cursos de Otoño, septiembre 1927, en la Universidad Bíblica L.I.F.E.

CURSO PREPARATORIO (1 año)	EVANGELÍSTICO (2 años)	BÍBLICO Y MISIONERO (2 años)
Inglés	Doctrina y Cruz	Doctrina y Cruz
Matemáticas	Pentateuco en tipos y Sombras	Pentateuco en tipos y Sombras

Historia General e Introducción	Temas de la Biblia y Tipología	Temas de la Biblia y Tipología
Historia de la iglesia	Dr. Thompson, "La Galería de Arte del Evangelio de Juan," y Lecturas sobre la Biblia Inglesa	Dr. Thompson, "La Galería de Arte del Evangelio de Juan," y Lecturas sobre la Biblia Inglesa
Contabilidad de la Iglesia	Historia de la Iglesia y Sanidad Divina	Historia de la Iglesia y Sanidad Divina
Atlas de la Biblia	Profecía Análisis Bíblico	Profecía Análisis Bíblico
El Evangelio Cuadrangular	Síntesis Bíblica Misiones	Síntesis Bíblica Misiones
Introducción a la Biblia	Segunda Venida del Señor	Segunda Venida del Señor
Clases especiales del Dr. Thompson	Composición en Ingles y retórica	Composición en Ingles y retórica
Vida de Oración	Arte	Arte
Español (Prerrequisito para el curso bíblico y evangelístico para quienes no se han graduado de secundaria.)	Comunicación Oral Homilética Armonía Evangelismo Trabajo de Coro	

Recurso: Revista Cuadrangular Bridal Call, Septiembre 1927, 35.

La Escuela Preparatoria L.I.F.E. estaba diseñada para *"gente joven entre las edades de 16 y 18 que había completado un año de la escuela secundaria,"* pero que no se había graduado, y deseaba *"experiencia práctica en la obra evangelística"* ("Datos acerca de L.I.F.E.," *Foursquare Crusader* 7 de agosto 1929, 6). Los estudiantes que habían aprendido español en el primer año de L.I.F.E., usualmente escogían servir en ministerios de habla hispana, iglesias, y la labor de plantar iglesias como internos, durante su educación, o como su vocación ministerial después de graduarse.

> *La noche del miércoles pasado, la iglesia española del salón 500 preparó y presentó un hermoso programa en honor a los estudiantes que han estado trabajando y sirviendo fervientemente para hacer de esta obra un éxito. Entre ellos estaba la señora Carrie McCormick, una cosechadora que ha trabajado incansablemente dando el evangelio a la gente española, y quien viajará después de su graduación a Colorado para continuar allí con la evangelización de las nacionalidades españolas* ("Estudiantes honrados por el grupo español del salón 500," *Foursquare Crusader* 6 de octubre de 1931, 8).

El éxito de este programa no sólo se logró debido a que se estaba enseñando español, sino porque el Templo Ángelus y la Universidad Bíblica L.I.F.E. proveyeron oportunidades para que los estudiantes sirvieran en un ministerio de habla hispana:

> *La hermana Velasco enseña español en L.I.F.E. y la clase bajo su dirección ha hecho un progreso espléndido. Los españoles están complacidos por los esfuerzos de los estudiantes de compartir el mensaje en español, y ayudarles de cualquier manera posible...la hermana Velasco, asistida por los estudiantes, recientemente condujo una campaña entre los españoles de Burbank. Las almas fueron salvas y el Evangelio Cuadrangular fue recibido con ansias* ("Estudiantes honrados por el grupo español del salón 500," *Foursquare Crusader* 6 de octubre de 1931, 8).

El lenguaje español, no fue incluido permanentemente en el curso preparatorio, y se desconoce por qué no se continuó. El Dr. Rolf K. McPherson, hijo de Aimee Semple McPherson, recordó y confirmó que la decisión de requerir el estudio del idioma español en ese tiempo, era una respuesta deliberada y especifica a la necesidad de ministrar a la creciente comunidad de habla hispana en Los Ángeles como también el entrenamiento de misioneros en potencia (Rolf McPherson 2006). ¡Este programa tuvo gran éxito!

El Templo Ángelus ya se hallaba patrocinando la plantación de iglesias hispanas, y la hermana McPherson sabía que en los años siguientes habría aun más oportunidades para trabajar junto a líderes hispanos en la plantación de iglesias nuevas. De hecho, los estudiantes bilingües nuevos de L.I.F.E y los misioneros que servían en naciones de habla hispana, y se hallaban en el país temporalmente, participaron en la plantación y liderazgo de un buen número de iglesias hispanas nuevas en el área de Los Ángeles.

La estrategia de enseñar español y enviar misioneros de habla hispana para servir en Los Ángeles y sus alrededores obtuvo gran éxito; los estudiantes de L.I.F.E. comenzaron a servir en varias misiones y campañas. A comienzos de 1927, se realizaron campañas en español, utilizando carpas, en el centro y sur de California y, como resultado, se establecieron nuevas misiones e iglesias. Dos años después de la dedicación del Templo Ángelus, el Señor estaba dando a luz al ministerio de habla hispana en el Templo Ángelus y comunidades alrededor de Los Ángeles.

Estudiantes de L.I.F.E. Sirven en Alcances Evangelísticos de La Misión y Plantación de Iglesias

En una misión en español, ubicada en Owensmouth, California (actualmente la gran área de Canoga Park), los estudiantes de la Universidad Bíblica L.I.F.E sirvieron junto a los de nacionalidad mexicana, como compañeros y colaboradores en el ministerio bilingüe. Se informó que estos estudiantes fueron de gran bendición para el alcance evangelístico debido a que *"todos estaban interesados en la obra española y habían estado aprendiendo el idioma mientras asistían a L.I.F.E."* ("Apertura de las Campañas en Carpas," *Foursquare Crusader* 27 de junio 1928, 5).

En 1927, en Watts, suburbio de Los Ángeles, nació una nueva iglesia mexicana, el Templo Betel, pastoreada por Francisco Olazábal, y dedicada en febrero de 1928 (*"La iglesia de Watts será dedicada el domingo,"* *Foursquare Crusader* 8 de febrero de 1928, 5). La hermana McPherson ministró en la misión de Watts en octubre de 1927, y habló, a través de un intérprete, a *"cerca de 2.000 personas que llenaron el tabernáculo… para escuchar el evangelio Cuadrangular"* ("La gente española en Watts escucha a la hermana," *Foursquare Crusader* 12 de octubre de 1927, 7). Fue asombroso que en 1927, más de dos mil personas vinieran a una iglesia hispana para escuchar el sermón predicado por una mujer, en inglés, e interpretado en español.

A comienzos de 1927, el Templo Ángelus también respaldó a una misión Cuadrangular hispana en Placentia, California. El alcance evangelístico de esta misión fue encabezado por el ex-misionero argentino William L. Perrault, y el informe fue que *"el Señor esta bendiciendo poderosamente la obra de salvación de almas preciosas"* ("¡Mexicanos Cuadrangulares!" *Foursquare Crusader* 16 de abril de 1927, 2). "En octubre de 1928, la obra hispana de Belvedere, California (ahora este de Los Ángeles), se abrió bajo el liderazgo de estudiantes de L.I.F.E. "*'Americanos' y obreros de la obra hispana en Placentia, California,"* ("Belvedere abre una obra española," *Foursquare Crusader* 10 de octubre de 1928, 4). Estas campañas y misiones en carpas estaban ligadas al Templo Ángelus debido a que muchos de los obreros venían de la Universidad Bíblica L.I.F.E. y la hermana McPherson estaba personalmente interesada en sus logros.

Conferencias en Español

La presencia de líderes saludables y reproducibles, congregaciones filiales y misiones locales en el sur de California, se convirtieron en un testimonio vivo del placer y la bendición de Dios en el ministerio transcultural del Templo Ángelus. También fue una expresión dramática del amor y el poder salvador de Dios en las comunidades hispanas, congregaciones y misiones servidas por estos líderes. Esta iglesia local estaba haciendo su parte en alcanzar a Los

Ángeles en sus respectivas expresiones misionales a las que había sido llamada—Jerusalén, Judea, Samaria, y los confines de la tierra.

El Señor no sólo estaba bendiciendo el ministerio de habla hispana y plantación de iglesias por medio del Templo Ángelus en la gran área de Los Ángeles, sino que había un mover de Dios en todo el país. A fines de los años veinte y a través de los treinta, las misiones hispanas, las congregaciones y los alcances evangelísticos estaban surgiendo en otras ciudades de California como también en Michigan, Nuevo México, Texas, y Colorado. La influencia de la hermana McPherson y el Templo Ángelus eran únicas y, quizás, sin precedentes; ya que en esa época había muy pocas iglesias locales, que hablaban inglés, dedicadas a alcanzar a la población hispana de sus propias comunidades y ciudades en Los Estados Unidos de manera destacada.

Dios se estaba moviendo, y la evidencia del crecimiento y madurez del alcance evangelístico hispano fuera de California era incalculable. La gente estaba recibiendo a Jesús como su Salvador, estaba experimentando el bautismo del Espíritu Santo, y estaba siendo discipulada. Había muchos reportes de sanidades y liberación de los efectos negativos del pecado. Había congregaciones hispanas nuevas que se estaban uniendo al movimiento Cuadrangular, mientras se entrenaban líderes que eran enviados a plantar iglesias nuevas.

El crecimiento rápido del Templo Ángelus y los ministerios de habla hispana, demandaban que se desarrollaran estructuras organizacionales para servir y proveer recursos a los ministerios hispanos. Entre los resultados maravillosos del crecimiento del ministerio y vigor de las iglesias locales, se hallaban las conferencias hispanas regionales periódicas para que los líderes hispanos y congregaciones estuvieran juntos y en armonía.

La Conferencia Anual del Movimiento Cuadrangular Latino de 1929 y el Reverendo A. M. López, Pastor a Cargo de la Obra Mexicana, Distrito del Sur

Harry G. Miller, Director de División del Evangelio Cuadrangular en Oklahoma y Texas, estableció su oficina en Dallas, Texas, con el propósito deliberado de *"trabajar con numerosos evangelistas en los meses de verano venideros, teniendo como objetivo 50 iglesias en estos dos estados del sur antes de que concluya el año 1930"* ("Hermano H. G. Miller en Dallas, Texas," *Foursquare Crusader* 12 de junio de 1929, 7). El hermano Miller también observó el crecimiento del ministerio hispano y, como nuevo director de área, se unió a "una conferencia de 31 iglesias Cuadrangulares Mexicanas" en Weslaco, Texas ("Hermano H. G. Miller en Dallas Texas," *Foursquare Crusader* 12 de junio de 1929, 7). Prácticamente todas éstas congregaciones hispanas fueron plantadas por un solo líder, el Reverendo A. M. López, y Dios estaba bendiciendo a éstos líderes y congregaciones (Miller 1929, 6).

En junio de 1929, el ministerio de habla hispana había llegado a formar parte de la estrategia regional de un director divisional de la Iglesia del Evangelio Cuadrangular que hablaba inglés, y el hermano Miller había hallado en el hermano López a un colega. Juntos, oraron y trabajaron para plantar congregaciones nuevas y llevar a cabo una conferencia regional para los pastores hispanos y sus congregaciones.

La conferencia fue anunciada como "La Conferencia Anual del Movimiento Cuadrangular Latino de 1929" (Miller 1929, 6). Sin embargo, no hay documentos históricos de conferencias hispanas previas o subsecuentes (Zeleny 2007b). Era una época emocionante para estos líderes y sus congregaciones:

Estaban presentes los representantes de casi todas las iglesias Cuadrangulares mexicanas... Las canciones y coros Cuadrangulares se cantaban en español. Te hacía creer que estabas de regreso en el Templo Ángelus. *Las voces armoniosas de los coros combinados de varias iglesias, hacían que se sintiera como si las paredes fueran a explotar cuando todas se unían en coro"* (Miller 1929, 6).

El hermano A. M. López, quien era *"mayormente responsable de comenzar la obra mexicana allí,"* fue nombrado como el *"'Pastor a Cargo' de la obra mexicana en el Distrito del sur"* (Miller 1929, 6). Había existido un *"Grupo Mexicano del Templo Ángelus"* en 1931, que era dirigido por el Dr. Charles Walkem, un líder que hablaba español pero que no era mexicano. ("Las multitudes asisten a la primera reunión del grupo mexicano," *Foursquare Crusader* 4 de marzo de 1931, 8). De acuerdo a lo registrado en los archivos históricos de la Iglesia Cuadrangular, este es el primer nombramiento de un líder, cuyo lenguaje nativo es español, para cumplir con una asignación regional en servicio al ministerio de habla hispana.

El hermano López era un siervo de Dios piadoso y devoto, así como también un líder capacitado cuyo nombramiento fue confirmado por la mayoría de la Iglesia Cuadrangular: *"Nuestro hermano ha trabajado y orado por estas iglesias. . . el hermano López es sin duda el hombre escogido por Dios para el lugar y es totalmente Cuadrangular"* (Miller 1929, 6).

Capítulo Tres

Un Ministerio Regional de Habla Hispana Que Produce Nuevos Líderes, Iglesias y una Universidad Bíblica

DE ACUERDO CON PROVERBIOS 29:18, "*Donde no hay visión, el pueblo se extravía,*" (NVI). La palabra hebrea חָזוֹן, la cual la NVI traduce como "visión," es mejor entendida como "comunicación divina en una visión, oráculo o profecía" (Brown, Driver, y Briggs 1979, 303).

El término "visión" puede comprender un sentido más pasivo, en el cual lo recibido es una información y, como tal, el destinatario, no necesariamente tiene la obligación de responder a la misma. Por otra parte, una "profecía" o "comunicación divina" tiene un sentido de propósito y dirección y, por lo tanto, requiere que una acción o conducta en respuesta a la declaración de Dios. La visión de Proverbios 29:18 es profética, y como tal, trae una palabra viva de Dios a su pueblo (lea Isaías 8:16). Como resultado, al "recibir las palabras del Señor" no hay "hambre" (Amós 8:11-12), y el pueblo se da cuenta de la necesidad absoluta de visión profética, de parte de Dios, incluso cuando ésta es una advertencia de las consecuencias, a un pueblo que vive, sirve, y trabaja sin ninguna visión vivificante ni profética.

El hermano López, quien trabajaba en colaboración con el hermano Miller, era un hombre con visión profética que se vio obligado por lo que sus ojos vieron y por la revelación del Espíritu Santo en su corazón y mente. Él, vio proféticamente las oportunidades entre las poblaciones de habla hispana de Texas y Oklahoma, y comprendió lo que se necesitaba para servirlas. *"Actualmente, hay mucha gente pidiendo una obra Cuadrangular Mexicana… se podrían abrir obras en estos lugares, pero no hay obreros para ocupar los pulpitos"* (Miller 1929, 6). Jesús le pidió a sus seguidores que oraran por obreros que fueran enviados a la cosecha (lea Mateo. 9:35-38), y su oración, ahora estaba siendo repetida por el hermano López sobre su región, porque habían sólo unos pocos pastores entrenados y listos para servir en Texas y Oklahoma. ¡Las oportunidades eran vastas pero los obreros eran pocos!

En respuesta a su visión profética y para suplir las necesidades, se planeó una escuela bíblica regional hispana. Esta se reuniría primero en la Iglesia Cuadrangular de Weslaco, pero había esperanza de que *"Dios les diera en breve un edificio para su escuela"* (Miller 1929, 6). La responsabilidad del desarrollo de la escuela bíblica fue dada a una pastora bilingüe con mucha experiencia:

La hermana Margaret McCaslin, quien estaba a cargo de la obra mexicana en Austin irá a Weslaco para abrir una Escuela Bíblica Mexicana. Ya hay cerca de cien personas que se han comprometido a asistir. Esta escuela se sostendrá por sí misma desde o casi el comienzo. Oren por esta Escuela Bíblica Mexicana donde los obreros hispanos serán entrenados para llevar el evangelio a su propia gente (Miller 1929, 6).

La congregación del Templo Ángelus no estaba observando estas buenas obras desde lejos. Se les recordaba, a través de la publicaciones de su iglesia, que *"esta es la oportunidad más grande para la obra misionera en el extranjero que se halla frente a nuestra propia puerta. Oremos para que Dios levante más obreros americanos de L.I.F.E. para que aprendan el español y vayan a este campo misionero"* con la esperanza de tener *"por lo menos cien iglesias mexicanas más dentro de uno o dos años"* (Miller 1929, 6). *El llamado a la congregación que hablaba inglés era claro: ¡entrenar para ir al campo misionero que se halla a tan sólo tres estados! La congregación también había sido invitada a participar en esta oportunidad extraordinaria a través de la oración y el apoyo financiero, al comprometerse a dar cincuenta dólares al hermano López y a la hermana McCaslin cada mes, mientras ellos servían en esta obra mexicana creciente* (Miller, 1929, 6). El Templo Ángelus estaba intencionalmente al servicio de la misión en casa, y utilizaban un lenguaje que reflejaba esta comprensión.

El Templo Ángelus Comienza los Servicios en Español para Miembros de Habla Hispana

La hermana McPherson y el liderazgo del Templo Ángelus estaban cada vez más conscientes de que era el momento de establecer un servicio más tradicional para los miembros de habla hispana del Templo Ángelus. Las clases de escuela dominical en español, los ministerios de habla hispana que se llevaban a cabo durante la semana en el templo, y las nuevas misiones y congregaciones que hablaban español en los suburbios de Los Ángeles, estaban creciendo en popularidad y siendo grandemente bendecidas por el Señor Jesús. La hermana McPherson determinó que era tiempo de desarrollar y ofrecer un servicio dominical de adoración.

Durante los meses de octubre y noviembre de 1927, cuando la congregación del Templo Ángelus experimentó los primeros servicios de avivamiento en inglés y en español, se dieron los primeros pasos hacia un ministerio hispano formal. La reunión de octubre surgió como resultado de una invitación que la hermana McPherson extendiera a la congregación hispana de Watts para reunirse en el Templo Ángelus durante un servicio. La hermana McPherson predicó y el evangelista Francisco Olazábal, pastor de la nueva congregación plantada en Watts, interpretó el mensaje. El ministerio bilingüe tuvo gran éxito ya que cuatro mil personas que hablaban inglés y español se reunieron para orar, adorar, enseñar y compartir en dos servicios:

> *Todos los presentes, incluyendo los miembros y amigos del Templo Ángelus que ocupaban los asientos en el tercer balcón, dando los asientos de preferencia a los invitados de la noche, estaban muy entusiasmados con el Espíritu supremo que reinaba durante toda la noche… todos recibieron una bendición maravillosa, algunos sanidad instantánea, y docenas venían con lagrimas a los pies de la cruz* ("Amigos Mexicanos Bienvenidos Al Templo. La congregación española de la carpa de Watts llena el Templo," *Foursquare Crusader* 19 de octubre de 1927, 2).

En noviembre, la reunión de Acción de Gracias, planeada por el Reverendo James y Anita McIntire, dio la bienvenida a cientos de personas de varias misiones mexicanas en los suburbios de la ciudad al Auditorio Ángelus, localizado en la parte posterior del santuario principal sobre la calle Lemoyne. La respuesta a esta invitación fue extraordinaria, debido a que el lugar estaba "lleno en su capacidad máxima." Por primera vez, en el Templo Ángelus, las palabras de las canciones en español fueron puestas en pantalla sobre el balcón del coro, de tal manera que cualquiera pudiera unirse y cantar. Al concluir el servicio, se hizo entrega de versiones en español del evangelio de Juan a cualquiera que "*no poseía la Palabra de Dios*" ("Los Mexicanos llenan el Templo," *Foursquare Crusader* 16 de noviembre de 1927, 5).

Es sorprendente, teniendo en cuenta la agenda ministerial de la hermana McPherson y las múltiples demandas importantes de su tiempo, que ella estuviera personalmente involucrada y disponible para ministrar a la comunidad de habla hispana. Para una líder pastoral con las responsabilidades de lo que hoy sería una mega-iglesia, hubiera sido suficiente desarrollar y enviar liderazgo hispano devoto, ungido, y capacitado y luego trabajar en conjunto con ellos a través de innumerables recursos para que pudieran llevar a cabo la obra del ministerio dentro de la comunidad hispana. Sin embargo, la hermana McPherson respaldó personalmente este ministerio, y al hacerlo, animó a la congregación del Templo Ángelus, a la facultad y a los estudiantes de la Universidad Bíblica L.I.F.E., que hablaban inglés, para que se unieran a ella.

La hermana McPherson había tomado "un interés profundo en la gente mexicana" y esto, en retorno, había causado que "cientos [de mexicanos] se interesaran en el Evangelio Cuadrangular." La evangelista que hablaba inglés y la más famosa de su tiempo, a través de su interés personal, se había *"ganado el cariño de sus corazones"* ("Los mexicanos llenan el templo," *Foursquare Crusader* 16 de noviembre de 1927, 5), y esto estaba dando fruto—la gente que hablaba español, que una vez se hallaba lejos, había sido acercada a Jesús a través del ministerio de una mujer que no podía hablarles sino a través de un intérprete.

El amor de la hermana McPherson por la comunidad de habla hispana fue expresado conmovedoramente cuando el Templo Ángelus comenzó a incrementar el número de servicios de la iglesia para la comunidad que hablaba español. El 20 de diciembre de 1927, el hermano Paul Cragion interpretó para la hermana McPherson mientras ella predicaba en un servicio especial de bautismo y, después del sermón, *"casi un centenar hombres, mujeres y niños, vestidos en túnicas blancas, fueron sumergidos con el Señor en el bautisterio del templo"* ("Clase bautismal numerosa en el servicio especial mexicano," *Foursquare Crusader* 21 de diciembre de 1927, 8). Este servicio fue descrito como *"un evento extraordinario de la semana de festividade*s," y la noche fue incluso superada con la distribución de *"más de mil cajas de dulces y seis de manzanas... para los niños mexicanos"* ("Clase bautismal numerosa en el servicio especial mexicano," *Foursquare Crusader* 21 de diciembre de 1927, 5). Este servicio no fue simplemente una demostración de bondad hacia un grupo de personas, sino un ministerio y compañerismo que reflejó el corazón de Jesús y los propósitos misionales del Reino de Dios.

Materiales Cuadrangulares y Biblias en Otros Idiomas

La proclamación oral del evangelio siempre es importante a causa de la insuficiencia literaria, sin embargo la página impresa siempre tendrá una participación significativa en el evangelismo, discipulado y educación. La página impresa, que contiene palabras e imágenes, puede ser una herramienta muy útil en el ministerio evangelístico y de enseñanza de una iglesia local.

La hermana McPherson empleó la tecnología de su época y la página impresa para llegar a otros y enseñarles. Ella y su equipo de liderazgo se aseguraron del que el Templo Ángelus proveyera biblias y materiales en inglés, y otros idiomas, a los miles que asistían a los servicios semanales. La Librería Cuadrangular, adyacente al santuario principal, contaba con *"una esplendida selección de biblias... [y] testamentos en español, alemán e inglé*s" ("Librería Cuadrangular," Revista Cuadrangular *Bridal Call* abril 1928, 16). En pocas palabras, los materiales de la iglesia estaban siendo traducidos y distribuidos: *La Declaración de Fe,* publicación de la iglesia acerca de sus compromisos doctrinales, y *En el Servicio del Rey*, la historia de la vida de la hermana McPherson, en español, estaban disponibles en mayo de 1928 ("En el Servicio del Rey ahora en español," *Foursquare Crusader* 23 de mayo de 1928, 2).

El Reverendo Patricio López Dirige el Departamento Hispano En el Templo Ángelus

En los años 1928 y 1929, una transición significativa estaba tomando lugar en el Templo Ángelus respecto al ministerio entre las comunidades de habla hispana en Los Ángeles. Los reverendos James y Anita McIntire continuaron supervisando la enseñanza y clase de sanidad divina en español en el Templo Ángelus. El ministerio del evangelista Francisco Olazábal en Watts, y su ministerio itinerante entre varias misiones hispanas alrededor de Los Ángeles, continuaron siendo muy fructíferos.

La hermana McPherson había experimentado personalmente la presencia del poder de Dios y el derramamiento del Espíritu Santo en los servicios en español del Templo Ángelus en 1927 y 1928, y muchos habían venido a la fe en Jesucristo. Estos creyentes nuevos fueron discipulados, y el nuevo liderazgo estaba siendo entrenado y enviado a la cosecha.

El ministerio de habla hispana se había convertido en un aspecto familiar del ministerio del Templo Ángelus, y más y más gente estaba orando por esas obras. Como resultado, para la hermana McPherson y el Templo Ángelus, se estaba abriendo una puerta aún más grande para ministrar y cosechar dentro de la comunidad de habla hispana. Con esta puerta abierta llegó la oportunidad de nombrar liderazgo de habla hispana para supervisar el Departamento en Español del Templo Ángelus.

En 1928, el liderazgo fiel y afectuoso del Departamento Hispano fue transferido de los reverendos James y Anita McIntire al hermano Patricio López. El Departamento Hispano era ahora, y por primera vez, dirigido por un líder cuyo idioma era español. El ministerio de habla hispana continuó creciendo bajo su liderazgo, y disfrutó de un nuevo nivel de importancia en la misión del Templo Ángelus y L.I.F.E., llegando a ser más intencionales en su esfuerzo evangelístico para alcanzar a la comunidad hispana en los años siguientes.

Fue en 1929, dos años después de que el estudio del idioma español se pusiera a disposición en la Universidad Bíblica L.I.F.E., que el Templo Ángelus vería un número aún mayor de estudiantes de la Universidad entrando al ministerio intercultural en español, y el hermano López proveyó oportunidades para que estos misioneros aprendieran y crecieran:

Mientras un gran número de estudiantes que hablan inglés [de L.I.F.E.] *están ansiosos de aprender el idioma español para poder ir a predicar a cualquiera de los países mexicanos, nuestro hermano López, está organizando Escuelas Dominicales en español y colocando a los estudiantes como maestros* ("Noticias del departamento español," *Foursquare Crusader* 7 de agosto de 1929, 7).

El crecimiento del departamento hispano, como una extensión evangelística del Templo Ángelus, probablemente se debió, en primer lugar, al hermano Patricio López y luego a la hermana McPherson y la congregación que hablaba inglés. El ministerio dedicado y excelente del hermano López, como uno de la comunidad, disfrutaría, en cierta medida, el fruto de su integridad, dones y habilidades. Sin embargo, para el Templo Ángelus y el ministerio hispano, no habría sido posible experimentar las inmensas bendiciones del Señor sin el apoyo, inversión y oraciones de la gente que nunca recibió ningún tipo de beneficio del ministerio al que estaban capacitando—la pastora y la congregación (que hablaban inglés) del Templo Ángelus.

La hermana McPherson y la congregación del Templo Ángelus tenían un amor profundo por la gente de habla hispana. La unión de amor, confianza y apoyo entre dos pastores y la congregación del templo, se convirtió en el fundamento de la oración llena de fe y el respaldo generoso que produjo mucho fruto:

> *Estamos contentos de decir que el hermano López ya ha organizado nueve escuelas dominicales con una asistencia de 180 niños… Tenemos más de cien mil mexicanos y la mayoría de ellos están sin Cristo. Oren, por favor, para que podamos acercarnos a muchos de ellos para traerles al redil* ("Noticias del departamento español," *Foursquare Crusader* 7 de Agosto de 1929, 7).

La hermana McPherson era ciertamente más que una pastora que servía y supervisaba la extensión del ministerio a la comunidad hispana; su interés personal y disponibilidad validaron, garantizaron, y facultaron al departamento hispano del Templo Ángelus. Como resultado, el departamento y el hermano López, fueron capaces, a su vez, de apoyarle ante la comunidad hispana que se reunía tanto en la iglesia como en los suburbios de Los Ángeles. A menudo, los martes a la noche, había reuniones en español dirigidas por la hermana McPherson e interpretadas por el hermano López u otros. Estos servicios no eran simplemente una experiencia duplicada del servicio dominical en inglés. Hubo una inversión de gran esfuerzo y oración en estas reuniones para asegurar que fueran relevantes y contextualizadas para la congregación hispana. Por ejemplo, cierta publicidad apareció en la publicación *Foursquare Crusader* anunciando un sermón ilustrado presentado y desarrollado completamente en español:

> *Martes, 7:30 p.m.—Gran reunión masiva para la gente que habla español. La hermana McPherson estará predicando a través de un intérprete. Sermón ilustrado. "Moisés y Los Diez mandamientos"* ("Esta semana en el Templo Ángelus," *Foursquare Crusader* 13 de noviembre 1929, 1).

Ante el crecimiento de la iglesia hispana, a través del evangelismo y el ministerio personal, se añadió un servicio de habla hispana al horario de la Clase de Escuela Dominical. Este servicio de adoración, específicamente en español, se realizaba los miércoles a las 7:30 p.m. en el salón 500 en el Templo Ángelus (*"Cincuenta almas fueron salvas en la reunión en español,"* *Foursquare Crusader* 16 de octubre 1929, 4). En adición a este acontecimiento, el departamento de escuela dominical del Templo Ángelus expandió sus oportunidades disponibles para los de habla hispana en el templo y suburbios de la ciudad. El reporte de escuela dominical del 9 de octubre de 1929, afirmaba:

> *En adición a nuestra escuela dominical regular, estamos haciendo una considerable obra de extensión entre quienes hablan español, teniendo un buen número de clases en el condado de Los Ángeles y una clase en la sección de adultos de nuestra escuela. Esta obra está bajo la supervisión del Señor Patricio López* ("Reporte de Escuela Dominical de octubre 6, 1929," *Foursquare Crusader* 9 octubre 1929, 13).

Los Asistentes de Habla Hispana se Convierten en Miembros del Templo Ángelus

Quizás no hay nada que confirme más que uno es miembro de *la familia,* que ser bienvenido y recibir un lugar de pertenencia. La comunidad de habla hispana se sintió bienvenida cuando el Templo Ángelus invitó a *"la gente española"* a convertirse en miembros formales de la iglesia en el otoño de 1929 ("La reunión en español está planeada para el martes," *Foursquare Crusader* 9 de octubre de 1929, 1). Esta se convirtió en una oportunidad anual para que las personas de habla hispana se unieran a la membresía creciente de esta iglesia reconocida a nivel nacional, y la membresía era el primer paso a todo tipo de oportunidad ministerial y continuo crecimiento en Cristo. La membresía trajo afirmación e inclusión y le dio a cada persona una voz como colaboradora en el ministerio del Templo Ángelus.

La oportunidad que se brindó a la comunidad de habla hispana, para considerar en oración si se convertirían en miembros del Templo Ángelus, señaló que el ministerio a ellos, y entre ellos, no era una misión de alcance o un gesto de benevolencia. El Templo Ángelus había abierto su corazón y sus puertas a toda una comunidad que hablaba otro idioma y disfrutaba otra cultura, y que ahora estaba en el camino a convertirse en una congregación a las naciones.

El Templo Ángelus y La Emisora de Radio K.F.S.G. Desarrollan Programas en el Idioma Español

En febrero de 1924, Aimee Semple McPherson inauguró la emisora de radio K.F.S.G. (Radio del Evangelio Cuadrangular) con grandes expectativas y pasión ministerial. Esta nueva estación, localizada en el Templo Ángelus, abrió su primera transmisión con el himno *"Dad a los Vientos una Voz Poderosa, Jesús Salva"* (Epstein 1993, 264). La hermana McPherson fue la primera mujer en poseer y operar una estación de radio religiosa en Los Estados Unidos (Hilliker 14 de noviembre de 2006, 1), y es probable que K.F.S.G. haya sido la estación de calidad mundial, desarrollada en una ciudad, como ministerio de alcance y herramienta de enseñanza de una iglesia local. El ministerio de la radioemisora, constantemente llamado *La Iglesia sin Muros* (Van Cleave 1992, 14), fue una compañera importante en la misión del Templo Ángelus, comenzando en una época en que la radio era la tecnología del momento.

Se estima que había doscientos mil "*receptores*," es decir, radios, dentro de las 100 millas que rodeaban Echo Park (Epstein 1993, 264), y en una noche clara, una transmisión de K.F.S.G. se escuchó en las Islas Verdes, a mil millas al este de la Habana, Cuba. Esa noche en particular, un sargento de la marina reportó que Cuba había escuchado a un misionero mexicano que leyó el Salmo 139 in inglés y en español "*para beneficio de sus viejos amigos mexicanos*" (Wadsworth 1925, 24). La incursión de la radio en la proclamación del evangelio en muchos idiomas y a las naciones era obvia para la hermana McPherson, y ella estaba convencida de que algún día le predicaría al mundo entero:

> *En verdad los aires necesitan recibir una voz poderosa. La predicación del evangelio—el Evangelio Cuadrangular— necesita ser transmitido al aire a los cientos de miles de "oyentes." Una estación radiodifusora enorme, de 500 vatios, fue instalada en el templo, la cual acumula la palabra predicada, en sus grandes torres de acero galvanizado, para luego esparcirla a lo largo y a lo ancho, a los corazones hambrientos en Canadá, México, y los Estados Unidos, las islas del mar y los barcos en el océano... ¡Qué oportunidad extraordinaria está al alcance, para la predicación del evangelio a cada criatura!* (A. S. McPherson 1923, 594).

La hermana McPherson escribió un artículo para la revista Cuadrangular *Bridal Call* de diciembre-enero de 1924 titulado, "*Convirtiendo al Mundo a Través de la Radio*." En este artículo ella buscó ayudar a la congregación del Templo Ángelus a captar el potencial de la radiodifusión para la obra del evangelio; ilustrando cómo estaba siendo usada en ese tiempo, e informando a la congregación, que se estaba instalando una estación de radio. Este compromiso con la tecnología más avanzada del momento comenzó cuando le fue dicho:

> *Una estación de radiodifusión en el Templo Ángelus… enviaría un mensaje claro a unas cuatro mil quinientas millas. La señal cruzaría el continente con claridad, arriba, en Canadá; abajo, más allá de Panamá y sobre las islas Hawaianas* (A. S. McPherson julio 1923, 15).

Por lo tanto, ella debe haberse dado cuenta que la radio proveía un nuevo potencial para la comunicación en español, particularmente si México y Centroamérica estaban dentro del alcance de transmisión, y esto demandaría el desarrollo de programas radiales en español. Felizmente la transmisión de programas de radio en español ya estaba tomando lugar en Los Ángeles, por lo que ella sabía que esto no iba a ser muy difícil de lograr: "*Casi cada noche, un señor español transmite las noticias del día en español en la emisora de Los Ángeles Times, para el beneficio de los oyentes en México*" (A. S. McPherson 1924, 24).

A medida que el ministerio de radio crecía, también crecían las oportunidades para un menú de programa amplio, y la transmisión esporádica en español, llegó a ser parte de la agenda. La agenda impresa, con la transmisión de la radio K.F.S.G., en la edición de junio de 1924 de la Revista Cuadrangular *Bridal Call*, tenía "Canciones en Español" como una de las selecciones entre las 3:30 p.m. y 5:30 p.m. de los viernes (banda de 278 metros-Templo Ángelus- Radio K.F.S.G., de Los Ángeles," *Bridal Call* junio 1924, 31). Pero no fue sino hasta 1930, después del fuerte mover de Dios que unió a la hermana McPherson, el Templo Ángelus, y la comunidad hispana, que el español (y otros idiomas) comenzaron a difundirse regularmente en K.F.S.G.:

> *En K.F.S.G., pronto transmitiremos, durante la hora radiante, entre 10 y 11 de cada mañana, con excepción del domingo, un*

programa nuevo e interesante. Una vez al mes se predicará un mensaje de la Palabra de Dios en alemán, español, japonés y chino... el mensaje en español será predicado por los hermanos Cortés y Gamboa ("Sermones de idioma extranjero," *Foursquare Crusader* Marzo 5 1930, 4).

El horario del programa de K.F.S.G. para el siguiente mes de junio, incluía *La Hora Radial en Español de K.F.S.G.* Este fue un programa matinal de los lunes, auspiciado por el Templo Ángelus, presentando la predicación y la enseñanza en español ("La Hora Radial en Español de K.F.S.G.," *Foursquare Crusader* 18 de junio de 1930, 4). La hermana McPherson y el Templo Ángelus habían comenzado una transmisión en español regular para la comunidad de Los Ángeles a sólo siete años de la fundación de la iglesia. La hermana McPherson entendió el potencial de un programa de alcance misionero y de habla hispana en casa. En marzo de 1932, estaba emocionada ante las posibilidades de establecer una estación de radio en Panamá que pudiera ser usada para proclamar el evangelio en español a través de la región ("*La hermana estaba encantada con las posibilidades de predicar el evangelio en la zona del Canal de Panamá y en tierras selváticas después de haber visto las condiciones de ese país,*" *Foursquare Crusader* 9 de marzo de 1932, 2).

A fines de los treinta, la agenda de K.F.S.G. incluía otro programa en español los miércoles a las 11:00 p.m. El reverendo Antonio Gamboa ministró durante esta transmisión y sirvió como intérprete de los ministros que hablaban inglés, y que también habían sido invitados a predicar. En una fotografía del grupo radial que producía este programa de "habla hispana," el subtítulo leía, *"Todo el grupo es poderosamente fiel, y merece gran parte del crédito por sus esfuerzos en alcanzar con el evangelio a quienes hablan español"* ("Gráfica Radial de K.F.S.G.," *Foursquare Crusader* 4 de mayo de1938, 4). La programación en español de K.F.S.G. continuó hasta mediados de 1951.

Missionary Work Among Mexicans In Los Angeles

The above photo was taken shortly after the Mexican Mission was opened and shows the large crowd which attended the service. Many more have been added to this number since that day.

Capítulo Cuatro

La Misión Mexicana McPherson

Nuevas Congregaciones de Habla Hispana

EL PASTOR PATRICIO LÓPEZ, además de dirigir el Departamento Hispano en el Templo Ángelus, también ministró a una iglesia de habla hispana en Owensmouth, California. Su ministerio y esta nueva congregación estaban teniendo un impacto fuerte entre los inmigrantes mexicanos y sus familias en el Valle de San Fernando. Una delegación del Templo Ángelus, dirigida por la madre de la hermana McPherson, Minnie Kennedy, se unió al Pastor López y a la congregación para un servicio. La señora Kennedy estaba asombrada al ser testigo de la respuesta de esta nueva congregación al Señor Jesús y Su Palabra, e hizo el siguiente comentario:

> *Parece ser un llamado a trabajar. La hermana McPherson tiene a la gente de habla hispana en su corazón. Podemos ver que hay mucho que hacer... al final del servicio se repartieron testamentos de color rojo junto con otra literatura... de tal manera que todos pudieran tener una porción* ("Grandes cantidades llenan el altar en Owensmouth," *Foursquare Crusader* 5 de marzo de 1930, 1).

Dios no sólo estaba bendiciendo el ministerio de habla hispana en el Templo Ángelus, ¡sino que también estaba bendiciendo a las iglesias hispanas plantadas por él!

El crecimiento de la iglesia mexicana de Watts bajo el liderazgo de Francisco Olazábal, el desarrollo de otros alcances misioneros en Burbank, California, así como también la congregación del Pastor López en Owensmouth, California, confirmaron la voluntad de Dios en cuanto al desarrollo del liderazgo de habla hispana y plantación de iglesias por el Templo Ángelus. También ampliaron la fe del liderazgo y congregación del Templo Ángelus en relación con las comunidades de habla hispana en los suburbios de Los Ángeles.

En 1930, el Templo Ángelus plantó siete iglesias de habla hispana en California: Oxnard, Burbank, Pasadena, Downey, Belvedere (ahora este de Los Ángeles), y el centro de Los Ángeles. Entre los meses de enero de 1931 y diciembre de 1939, otras cuarenta iglesias fueron plantadas en California, Colorado, Texas, Michigan, y Nuevo México (Zeleny 2006b). Al inicio de los años treinta, el Templo Ángelus contaba con un promedio de aproximadamente cuatro iglesias hispanas nuevas.

Claramente, la hermana McPherson no estaba contenta sólo con clases en español, reuniones y alcances periódicos a la comunidad de habla hispana. Al reflexionar, los líderes dirían que *"la necesidad de ministrar el evangelio a los mexicanos hambrientos espiritualmente, ardía en el corazón de la hermana McPherson"* ("La Escuela Bíblica Mexicana," *Bridal Call Foursquare* Abril de 1931, 10). Y sólo podría lograrse a través de un ministerio lleno del Espíritu y completamente equipado para suplir las diversas necesidades de la comunidad hispana.

En 1930, la hermana McPherson asumió la causa de fortalecer la plantación de iglesias hispanas en el centro de Los Ángeles; ella estaba personalmente comprometida a esta obra y ministró como *"pastora de la misión junto a los hermanos B. N. Cortés y A. Gamboa a cargo de la misma."* Esta nueva congregación se reunía en una carpa en la esquina de Pleasant Avenue y la calle Las Vegas, sólo a dos millas del Templo Ángelus y a unas pocas cuadras de la alcaldía de la ciudad. La hermana McPherson creía que este lugar *"iba a ser un centro misionero de evangelismo Cuadrangular entre la gente que hablaba español"* ("La Misión Mexicana Progresa," *Foursquare Crusader* 21de mayo, 1930, 3).

La hermana McPherson y su equipo de liderazgo comenzaron a declarar la visión, a solicitar ayuda financiera, y determinar si la congregación podría suplir otros recursos para establecer una filial de la iglesia de habla hispana y la escuela bíblica en el corazón del centro de Los Ángeles. La congregación respondió con entusiasmo, y el apoyo fue inmediato. El Templo Ángelus estaba listo para trabajar en conjunto con esta iglesia, de tal manera que cuando una tormenta destruyó la carpa en la que se reunía la congregación de habla hispana, la hermana McPherson y el Templo Ángelus les prestó una de las carpas usada para sus avivamientos ("La hermana visita a la misión española," *Foursquare Crusader* 19 de marzo de 1930, 1).

Casi inmediatamente, esta nueva obra fue legal y comúnmente identificada como la Misión Mexicana McPherson ("La Misión Mexicana McPherson está progresando," *Foursquare Crusader* 7 de Abril de 1930, 5), aunque existieron otros nombres asociados con esta obra: La Misión Española ("Nuestra Misión Española," *Foursquare Crusader* 12 de febrero de 1930, 6); La División Española, Misión Española, Tabernáculo, Templo Mexicano, y el Templo Español ("S.O.S. para el Tabernáculo. ¡La hermana capta la visión para el futuro!" *Foursquare Crusader* 12 de marzo de 1930, 1); la Misión Mexicana McPherson ("Nueva Propuesta de la Misión Mexicana McPherson," *Foursquare Crusader* 9 de abril de 1930, 7); el Tabernáculo Mexicano ("La Construcción Progresa en la Misión Mexicana," *Foursquare Crusader* 14 de mayo de 1930, 1), la Misión Mexicana ("El Hermano Walkem en la Misión Mexicana," *Foursquare Crusader* 18 de junio de 1930, 4), y el Tabernáculo del Evangelio Cuadrangular Mexicano (Hermana Kennedy 1930, 1). Aunque el nombre de la misión incluía el término de identificación "Mexicano(a)" para representar la nación de origen de la mayoría de la gente de habla hispana en Los Ángeles en ese tiempo, la visión siempre fue "proveer un lugar adecuado para que miles de personas hispanas en Los Ángeles se reunieran a adorar" ("Hermano Walkem en la Misión Mexicana," *Foursquare Crusader* 18 de junio de 1930, 4).

Misiones en Casa

La Misión Mexicana McPherson tenia un significado para el Templo Ángelus que iba más allá de la buena obra hecha en el nombre de Jesús entre la comunidad de habla hispana en el centro de Los Ángeles. Este alcance ayudó a que el Templo Ángelus hiciera un cambio de dirección misionero "en el extranjero" a uno "cruzando la calle." La hermana McPherson, evangelista y misionera, tomó el liderazgo articulando la perspectiva del Reino en la misión para su congregación madura:

> *Debemos, debemos tener un Tabernáculo Español. ¡La gente está hambrienta de la palabra de Dios y está buscando que nosotros les demos esa luz! Oh, ¿no me ayudarían a alcanzarlos? Los Ángeles es la segunda ciudad mexicana más grande del mundo, la primera es Ciudad de México, México. Hemos estado haciendo la obra misionera en el extranjero y enviando misioneros, pero justo aquí, en nuestra propia cuidad, hay una oportunidad de hacer una obra maravillosa como en el extranjero.* ("La Misión Mexicana Progresa," *Foursquare Crusader* 7 de abril de 1930, 5).

Dos meses más tarde, la congregación supo que sus oraciones, apoyo financiero y labor habían producido mucho fruto:

> *Estamos a punto de concluir la estructura y el enyesado de un bello edificio. Este será usado para la Misión Mexicana y también será el primer Centro Misionero en el movimiento Cuadrangular* ("La misión a punto de culminar. La Misión Mexicana será dedicada pronto," *Foursquare Crusader* 4 de junio de 1930, 1).

La decisión de desarrollar este ministerio de habla hispana en el centro de Los Ángeles fue motivada por la logística del ministerio de la hermana McPherson y el espacio disponible en el Templo Ángelus.

La expansión de la obra extraordinaria de Dios, hizo imposible que se plantara una iglesia de habla hispana en el mismo lugar y esperar que creciera y prosperara ante los desafíos de asuntos de congregación y tráfico. Consecuentemente, rentar, comprar o construir instalaciones de uso único, que estuvieran cerca al Templo Ángelus y a la comunidad hispana, era una mejor decisión misional tanto para el Templo Ángelus como para el futuro desarrollo del ministerio de una iglesia de habla hispana. La ubicación entre Pleasant Avenue y Las Vegas Street en Los Ángeles era perfecta para esta congregación hermana, y allí, la iglesia nueva fue prosperada.

La hermana McPherson se dio cuenta que atraer a los mexicanos a Jesucristo, como también a todos los de habla hispana en Los Ángeles, era una expresión directa de la misión de la iglesia de Jesucristo, y quienes participaban en esta obra eran misioneros en todo el sentido de la palabra y función. Por primera vez, los miembros de la congregación del Templo Ángelus sabían que podían ir por todo el mundo, incluso a las partes más remotas, y nunca dejar sus casas en el sur de California:

Armados con picos, palas y labor ardua, los voluntarios dispuestos comenzaron a trabajar en la "Misión Mexicana McPherson."... los obreros mexicanos están esperando ansiosamente la hora en que tendrán el gozo de adorar a Dios en este tabernáculo esplendido. No todos pueden ser misioneros en una tierra extranjera, pero con ayuda práctica en esta obra, cada uno será realmente un misionero. Miles de personas de habla española están a nuestro alcance y muchos han encontrado a Jesús a través del Evangelio Cuadrangular traído por la hermana McPherson ("Excavación del terreno para el tabernáculo," Foursquare Crusader 16 de abril de1930, 5).

Hoy en día, es común escuchar el llamado a plantar iglesias en culturas diferentes para establecer comunidades de fe. Estas congregaciones nuevas en idiomas y culturas, incrementan la posibilidad de que estos creyentes evangelicen en su propio idioma y cultura, tanto localmente, como en sus naciones de origen. Y, como una comunidad misional de fe, eventualmente también alcanzarán a otros grupos de culturas diversas. La hermana McPherson abrió el camino en "Misión-evangelismo" (Hesselgrave 2000, 28) al declarar esta visión única de la misión de la iglesia local ante la congregación del Templo Ángelus, y lo hizo también en libros, seminarios, y conferencias donde enseñó al Cuerpo de Cristo la importancia de este tipo de alcance.

En el transcurso de varios meses, la congregación del Templo Ángelus fue movilizada a orar, a dar y ayudar físicamente en la construcción del nuevo templo. Incluso los niños y los jóvenes también hallaron maneras de contribuir en la construcción y las otras necesidades físicas que ayudaron a establecer esta obra nueva. El Dr. Rolf McPherson recordó que él fue uno de esos jóvenes que "ayudó" a la misión (Rolf McPherson 2006).

La publicación *Foursquare Crusader* incluía periódicamente una papeleta de ofrenda junto a un artículo que informaba a la congregación sobre el progreso de la obra. El llamado a ayudar físicamente estaba ligado al llamado de invertir financieramente. Cada miembro era invitado a dar una donación en forma de dinero efectivo, giro bancario, o cheque a la Misión Mexicana McPherson ("Propuesta Nueva de la Misión Mexicana McPherson," *Foursquare Crusader* 9 de abril de 1930, 7). El alcance a las comunidades hispanas de Los Ángeles se había convertido en una oportunidad regular para el ministerio y participación en el Templo Ángelus.

La Hermana McPherson "Tiene a la Gente De Habla Hispana En su Corazón"

La señora Kennedy había dicho bien, "*La hermana McPherson tiene a la gente de habla hispana en su corazón*" ("Grandes cantidades llenan el altar en Owensmouth," *Foursquare Crusader* 5 de marzo de

1930, 1). La Misión Mexicana McPherson era muy especial para la hermana McPherson, y ella era generosa con su oración, tiempo, y disponibilidad. También era muy especial para el liderazgo y congregación de la Misión Mexicana McPherson. El reverendo B. N. Cortés, quien dirigió la Misión Mexicana McPherson con el Pastor Antonio Gamboa, se maravillaba ante su amor y corazón generoso; lo cual expresó en este artículo para la publicación *Foursquare Crusader*:

> *Se ha dicho tanto desde el púlpito en el Templo Ángelus y a través de la publicación The Crusader sobre lo que la hermana McPherson piensa de la gente mexicana, que ahora nos gustaría decirle al mundo lo que pensamos de ella. Hace algún tiempo, se le pidió a la hermana que le predicara a la gente mexicana. Ella no preguntó "¿Cuánto me van a pagar?..." sino que respondió dulcemente, "Ciertamente lo haré..." Fue difícil para nosotros creer que la evangelista más grande del mundo vendría a hablarnos... desde esa noche, hemos aprendido a amar a la hermana y hemos sido muy bendecidos por su ministerio* (Cortés 1930, 5).

El compañerismo entre la hermana McPherson, el Templo Ángelus, y el liderazgo de habla hispana que servía a todas las congregaciones Cuadrangulares, incluía respeto mutuo y honor. No había señal del racismo incipiente que un inmigrante mexicano hombre o mujer acostumbrara a experimentar en la vida cotidiana en Los Ángeles a comienzos de los años treinta. Este racismo podía ser escuchado a través de los comentarios casuales de la gente. Y de acuerdo a Anthony Quinn, la comunidad de habla hispana no siempre era tratada con respeto por muchas autoridades en Los Ángeles (Epstein 1993, 380).

La comunidad de habla hispana fue bienvenida y capacitada por medio del ministerio y liderazgo de la hermana McPherson, ya fuera a través de un servicio público, plantación y desarrollo de una nueva congregación o en maneras en las que ella ofrecía asistencia personal. La adquisición y desarrollo de la propiedad de Pleasant Street y Las

Vegas Street era solamente el ejemplo más obvio y generoso de su inversión desinteresada en esta comunidad. Ella sirvió a esta congregación y liderazgo de habla hispana con un gozo inmenso y un compromiso que hacía que sus compañeros de liderazgo recordaran la época de la fundación del Templo Ángelus. La petición de ofrendas hecha a la congregación que hablaba inglés para apoyar "*en esta maravillosa obra entre la gente Mexicana*," hizo que se sintieran animados a seguir su ejemplo de inversión y generosidad, al ministrar en la carpa de la Misión Mexicana McPherson:

> *La hermana hizo más que su parte… ella se dedicó al trabajo con todo el entusiasmo y energía que caracterizaron a la construcción del Templo. Predicó en la carpa española el lunes en la noche, antes de su partida ¡y cómo bendijo el Señor! Predicando y cantando a través de un intérprete, ella invirtió todas sus fuerzas para que la obra española fuera un éxito. Mantengamos la fe, junto a la hermana, y tengamos la Misión lista para cuando ella regrese. Use el sobre en blanco adjunto para su ofrenda* ("La Misión Mexicana Progresa," *Foursquare Crusader* 7 de abril de 1930, 5).

La Misión Mexicana McPherson se Convierte en Una Iglesia Cuadrangular

En febrero de 1930, los pastores y la congregación de la Misión Mexicana McPherson formalmente se asociaron con la Iglesia Cuadrangular, y más específicamente, con el Templo Ángelus ("Servicio Único Mueve Los Corazones," *Foursquare Crusader* 26 de febrero de 1930, 1). La ceremonia de excavación y dedicación de la propiedad se llevó a cabo el 31 de marzo de 1930 ("La Misión Mexicana Es Dedicada," *Foursquare Crusader* 2 de abril de 1930, 1), el templo fue terminado y listo para su uso; los servicios en el edificio comenzaron en junio de 1930 ("Lunes, Dedicación de La Misión Mexicana," *Foursquare Crusader* 25 de junio de 1930, 1).

La ceremonia de dedicación del inmueble nuevo, se llevó a cabo el 7 de julio de 1930, y se decía que este nuevo edificio *"constituye una respuesta concreta a las oraciones de la hermana McPherson por un lugar de adoración para la gente Cuadrangular que hablaba español."* No era suficiente con simplemente dedicar la iglesia nueva. Había música especial de la Banda de Plata del Templo Ángelus; La hermana McPherson y el hermano Walkem cantaron un dueto; y hubo otros números musicales. La hermana McPherson predicó el mensaje titulado "Las Campanas del Cielo," el cual fue interpretado por el hermano Gamboa, y más de cien personas respondieron al llamado del altar para ser salvos y recibir oración. Finalmente, el servicio de dedicación concluyó con la boda de Juventina Bernal y Frank Moncivaez ("La Misión Mexicana Dedicada a Dios," *Foursquare Crusader* 9 de julio de 1930, 1-2). ¡Este sería un día difícil de olvidar!

Algunos días después, en un servicio de la Misión Mexicana Mc Pherson, la hermana ministró la Palabra de Dios, y, a continuación de su mensaje interpretado, bautizó a *"treinta y cinco o cuarenta... candidatos en las aguas del nuevo bautisterio"* ("Servicios Bendecidos en La Misión Mexicana," *Foursquare Crusader* 23 de julio de 1930, 1). Todo era muy similar al ministerio en el Templo Ángelus. La inauguración de la iglesia e instalaciones fue finalizada en octubre de 1930 ("Algunos Frutos en las Ramas de La Misión Mexicana," *Bridal Call Foursquare,* agosto de 1931, 15).

La Primera Iglesia de Habla Hispana del Templo Ángelus

La Misión Mexicana McPherson fue establecida y su apertura formal como iglesia Cuadrangular de habla hispana se llevó a cabo el 17 de febrero de 1931, con el reverendo C. W. Walkem como supervisor, y el reverendo Antonio Gamboa como Pastor Principal ("A Través de los Lentes del Templo Ángelus 1931," *Bridal Call Foursquare* enero 1932, 8). Estas dos congregaciones, el Templo Ángelus y la Misión Mexicana McPherson, sirvieron a Los Ángeles en trabajo conjunto, y el Señor bendecía sus servicios y sus alcances mutuos a la comunidad.

En adición a esto, la hermana McPherson y el liderazgo del Templo Ángelus se dispusieron para servir a la Misión Mexicana cuando fuera necesario; ella predicaba periódicamente en sus servicios.

En muchos sentidos, la Misión Mexicana McPherson era tanto una extensión del Templo Ángelus, como el Templo Ángelus era una extensión de la Misión Mexicana McPherson. La profundidad de esta relación fue confirmada en el artículo escrito por el reverendo C. M. Walkem, donde reflexionó sobre la visita del "evangelista judío convertido," Dr. Armin Holzer, a la "Misión Mexicana" en Los Ángeles. Muchos meses después de que la relación entre el Templo Ángelus y la Misión Mexicana fuera formalizada, el Dr. Walkem escribió:

> *Han transcurrido muchos meses desde la dedicación de la hermosa Misión Española localizada en la esquina de la calle Pleasant y Las Vegas… la obra ha continuado con un ímpetu creciente y la gente mexicana en ese vecindario ha sido grandemente motivada… la misión, conocida como el "Templo Ángelus Mexicano" está haciendo una buena obra entre la gente de habla hispana en esta ciudad* (Walkem 1930, 3).

La Misión Mexicana McPherson se había convertido en el Templo Ángelus Mexicano (de habla hispana) en el lenguaje popular de la gente, y era una parte importante de la misión local del Templo Ángelus. Además este era el lugar donde la comunidad de habla hispana podía "adorar en unidad con su propia gente y escuchar mensajes Cuadrangulares de predicadores que hablaban en su mismo idioma" ("Lluvias de bendición en La Misión Mexicana," *Foursquare Crusader* agosto 13 de 1930, 5). Nueve meses después de su dedicación, la Misión Mexicana McPherson estaba sirviendo a la gente de los Ángeles en conjunto con su congregación hermana, que hablaba inglés, el Templo Ángelus:

> *Los pastores, señores Gamboa y Cortés, compartían igualmente el trabajo de predicar y orar por los enfermos. El departamento*

de suministros está funcionando y las canastas de comida y ropa están siendo dadas a los pobres. *Una orquesta pequeña, dirigida hábilmente por uno de sus miembros, se encarga de la música, y el coro en español interpreta himnos que pueden ser escuchados en cualquier otra iglesia… Ellos buscan en el Templo Ángelus, la organización madre, su apoyo continuo. La obra misionera esta a nuestras puertas. Oremos por nuestros hermanos mexicanos* (Walkem 1930, 3).

La iglesia creció rápidamente, y fue reportado que el "*avivamiento era continuo.*" ("El Señor obra maravillas en la Misión McPherson," *Foursquare Crusader* 20 de mayo de 1931, 8). El Señor incrementaba el número de creyentes, a medida que servían a Los Ángeles, y había mucho porqué regocijarse en el primer aniversario de dedicación de la iglesia:

Ellos cuentan con una asistencia promedio de Escuela Dominical de más de doscientos cada semana… las almas están siendo salvas… hay sanidades maravillosas… muchos de los católicos convertidos están esperando recibir el bautismo con el Espíritu Santo… El hermano Gamboa reporta que dieciséis candidatos fueron bautizados en agua el mes pasado. ("El Señor obra maravillas en la Misión McPherson," *Foursquare Crusader* 20 de mayo de 1931, 8).

En septiembre de 1931, Rolf y Lorna Dee McPherson ministraron en la Misión Mexicana McPherson. El anuncio fue un testimonio asombroso del vigor y crecimiento de esta congregación hija del Templo Ángelus en tan sólo un año y medio:

Predicando el domingo en la noche… Rolf y Lorna Dee McPherson conducirán el servicio en la Misión Mexicana McPherson, sus mensajes serán interpretados al español por el hermano Antonio Gamboa, pastor de la Misión. Esta Misión tiene la capacidad de acomodar a casi mil personas, y se espera que se llene con los que están ansiosos de escuchar a jóvenes evangelistas Cuadrangulares. ("Rolf, Lorna Dee continúan en la ausencia de los Pastores del Templo," *Foursquare Crusader* 30 de septiembre de 1931, 1).

La Escuela Bíblica Misionera de la "Misión Mexicana McPherson"

El Templo Ángelus comenzó su entrenamiento de líderes con la dedicación del edificio y abrió la Universidad Bíblica L.I.F.E. el 7 de Diciembre de 1925, justo dos años después de la dedicación de la iglesia. De la misma manera que el Templo Ángelus fuera plantado, con una Universidad Bíblica en su futuro, también la Misión Mexicana McPherson fue plantada como una iglesia que daría nacimiento a una escuela de entrenamiento a medida que la congregación maduraba.

Incluso al comenzar la obra en la misión Mexicana McPherson, el título de "*Foursquare Crusader*" apelaba a los lectores: "*S.O.S. para el Tabernáculo. ¡La hermana Recibe Visión para el Futuro! ¡El Templo Español y la Escuela Bíblica Están en los Planes!*" De nuevo, la hermana McPherson estaba modelando su compromiso con los lazos indisolubles entre el discipulado, la plantación de iglesias, la salud de la iglesia, y el desarrollo del liderazgo. "*La hermana McPherson ha recibido la visión para el Templo Mexicano y la Escuela Bíblica; se han tomado medidas para este fin*" ("S.O.S. para el Tabernáculo," *Foursquare Crusader* 12 de marzo de 1930, 1).

La Escuela Bíblica fue fundada a comienzos de 1931, mayormente como resultado de la dirección específica de la hermana McPherson, de suplir las necesidades de discipulado y desarrollo del liderazgo de la creciente congregación de habla hispana, y el alcance expansivo en español del Templo Ángelus. El artículo que reportó el crecimiento de la Escuela Bíblica comenzó con una frase en español, *Voy a leer del evangelio de Mateo—Capitulo uno—Versículo uno.* La congregación que hablaba inglés y los amigos del Templo Ángelus estaban leyendo en español sin el beneficio de la traducción en el periódico *Bridal Call Foursquare*. El artículo continuó en inglés explicando algo del trasfondo de la apertura de la Escuela Bíblica:

> *Muchos de los mexicanos convertidos deseaban asistir a L.I.F.E., pero había numerosos obstáculos que se los impedía. En aquel tiempo, muchos de ellos hablaban muy poco inglés y no podían recibir la instrucción dada por la Escuela Bíblica. Justo antes de que la hermana McPherson partiera para el Oriente, instruyó a la señorita Harriet Jordan, Decana de L.I.F.E. para que comenzara una rama mexicana del Instituto Bíblico de Entrenamiento Cuadrangular. Las órdenes fueron seguidas y en el transcurso de dos semanas hubo una gran apertura... cuarenta y siete [estudiantes] respondieron al primer llamado. La siguiente semana doce nombres más fueron añadidos a la lista y cada semana venían nuevos* ("La Escuela Bíblica Mexicana," *Bridal Call Foursquare* abril de 1931, 10).

El reverendo Charles Walkem fue asignado, por la hermana McPherson, como supervisor de esta iglesia nueva, y ahora debía proveer el liderazgo para La Escuela Bíblica. La apertura y dedicación de la escuela mexicana L.I.F.E, fue celebrada con un gran estandarte en el encabezamiento de la edición de *Foursquare Crusader* en febrero 18 de 1931: "SE ABRE LA ESCUELA MEXICANA L.I.F.E. Ha Sido Establecida Una Rama de L.I.F.E. en el Tabernáculo" ("Se abre la Escuela Mexicana L.I.F.E," *Foursquare Crusader* 18 de febrero de 1931, 1). La visión de la hermana McPherson era segura, ampliamente conocida, y recordaba a los lectores su liderazgo en el desarrollo tanto de la iglesia como de la escuela:

> *Cuando la Misión Mexicana McPherson estaba siendo planeada por la hermana McPherson, ella tenía la idea de hacer un Templo Ángelus en miniatura para la gente mexicana. Esta obra, la cual se comenzó meses atrás, es un producto directo de los esfuerzos personales de la hermana. La gente española estaba en su corazón. Después de mucha oración y meditación, se de-*

cidió rentar un lugar y luego se edificó un tabernáculo. La
noche del martes pasado, se hizo realidad una idea adicional
de la hermana McPherson, la apertura de la rama mexicana
de la Escuela L.I.F.E. ("ha sido establecida una rama de
L.I.F.E en el tabernáculo" *Foursquare Crusader* 18 de febrero
de 1931, 1).

Esta escuela no fue una imposición sobre el liderazgo o la congregación de la Misión Mexicana McPherson. La hermana McPherson quería que se desarrollara una escuela como respuesta a las
necesidades de discipulado y desarrollo del liderazgo de esta congregación creciente, y esto también era lo que el liderazgo y la congregación querían. Había pocas, si alguna, escuelas evangélicas o
pentecostales donde el evangelismo, los dones y el poder del Espíritu
Santo y la Biblia se enseñaran en español:

> *Por muchos meses la gente mexicana había estado orando por*
> *una escuela bíblica donde pudieran recibir la misma enseñanza*
> *que era obtenida en L.I.F.E* ("ha sido establecida una rama
> de L.I.F.E en el tabernáculo" *Foursquare Crusader* 18 de fe-
> brero de 1931, 1).

En el servicio de dedicación, se alababa a Dios por el ministerio
del liderazgo de la iglesia y la congregación fue llamada a orar por
los estudiantes: *"Oremos por la gente mexicana porque ellos están con-*
tendiendo por la fe con fervor. Que Dios bendiga a la Escuela Bíblica
Mexicana de L.I.F.E." el artículo finalizó con esta bendición sin traducción, ¡*La participación del Espíritu Santo sea con todos vosotros,*
Amen! ("La Escuela Bíblica Mexicana," *Bridal Call Foursquare* abril
de 1931, 10). Hacia septiembre de 1931, había "cerca de setenta
jóvenes entrenándose en la rama mexicana de L.I.F.E y preparándose
para predicar el evangelio Cuadrangular" ("La Misión Mexicana
McPherson llevará a cabo una gran reunión el 19 de septiembre,"
Foursquare Crusader 9 de septiembre de 1931, 1).

La Universidad Bíblica L.I.F.E. y la Escuela Bíblica Trabajan Juntas para Entrenar Líderes

El Templo Ángelus y la congregación de la Misión Mexicana McPherson estaban muy acostumbrados a pensar en la Universidad Bíblica L.I.F.E. y la Escuela Bíblica como instituciones hermanas. Compartían su facultad y currículo: *"en ciertas ocasiones, los profesores de L.I.F.E. enseñarán lecciones especiales a los estudiantes de la nueva Escuela Bíblica. Se están estableciendo planes para completar la traducción de los estudios Cuadrangulares de la hermana"* ("Rama de L.I.F.E ha sido establecida en el Tabernáculo," *Foursquare Crusader* 18 de febrero de 1931, 2).

Existía también un interés en traducir los sermones y música de la hermana McPherson para su presentación en la Misión Mexicana, y parte de esta labor se hizo con mucho afán. En julio de 1931, uno de los miembros de la Misión Mexicana McPherson comenzó a *"traducir la gran composición musical de la hermana 'Regem Adorate' al español y la gente mexicana está haciendo planes para presentarla pronto en su iglesia"* ("Progreso mostrado en la obra del evangelio de la Misión Mexicana," *Foursquare Crusader* 22 de julio de 1931, 8).

Las dos iglesias y escuelas, también llevaron a cabo reuniones y concentraciones que unieron a las congregaciones, facultad, y cuerpos estudiantiles para adorar, celebrar, orar y recibir inspiración:

En la Misión Mexicana McPherson hay un cuerpo estudiantil, rama del Templo L.I.F.E., preparándose para la obra entre la gente mexicana. Una gran reunión se llevó a cabo en la Misión Mexicana… El reverendo C. W. Walkem trajo un mensaje inspirador a las mil personas que llenaron la misión a su capacidad máxima ("Las abejas misioneras," *Bridal Call Foursquare* octubre de 1931, 24).

Hacia noviembre de 1933, la Misión Mexicana McPherson era conocida como un "centro de avivamiento y la iglesia protestante mexicana más grande en Los Ángeles," y los anuncios del servicio usualmente pedían que la gente llegara temprano *"debido a que en el lugar sólo había capacidad para ochocientas personas"* (La señora Dudley hablará a la gente mexicana el 18 de noviembre," *Foursquare Crusader* 15 de noviembre de 1933, 5). A comienzos de los treinta, este fue un crecimiento asombroso para la iglesia protestante de habla hispana en Los Ángeles, lo cual enfatizó aun más la necesidad de un desarrollo incesante del liderazgo español tanto para servir a esta congregación como a la población de habla hispana.

De la misma manera en que la Universidad Bíblica L.I.F.E. integraba los estudios teológicos y la experiencia práctica, sirviendo en el Templo Ángelus como la manera más efectiva en que un hombre o una mujer podía ser entrenado(a) adecuadamente para ministrar, la Escuela Bíblica seguía sus pasos, proveyendo estudios teológicos y experiencia ministerial en la Misión Mexicana McPherson. En adición a los estudiantes que recibían entrenamiento en la Escuela Bíblica, los estudiantes de la Universidad Bíblica L.I.F.E. eran invitados con frecuencia para participar y dirigir servicios en la Misión Mexicana McPherson. Para estos ministros vocacionales en desarrollo, este intercambio de liderazgo, era una oportunidad rica para experimentar el ministerio transcultural. En un servicio de la Misión Mexicana McPherson, el líder de los estudiantes de L.I.F.E, Clarence Jones, predicó un mensaje sobre la suficiencia vasta de Cristo. Al concluir su sermón, Clarence invitó a la congregación a que respondiera al llamado de salvación y sanidad. Hubo dos personas que respondieron al llamado y *"un buen número fue sanado por el poder de Dios. Un hermano que no podía mover su cadera por once años fue sanado y corría de arriba a abajo gritando alabanzas al Señor"* ("Grupo estudiantil tiene un ministerio especial en la Misión Mexicana," *Bridal Call-Crusader Foursquare* 5 de diciembre de 1934, 13).

Los estudiantes de la misión estaban aprendiendo acerca de Dios, la iglesia, y su obra en maneras más poderosas que las que libros o clases pudieran enseñarles; tales lecciones transformaban vidas. Dios no hace acepción de personas; su amor es absoluto; la Iglesia es su voz y sus manos; su poder está a disposición de todos los que tienen fe; y cualquiera que ora y pide algo de acuerdo a su voluntad, ¡El lo hará!

La Misión Mexicana McPherson
Sirve a los de Habla Hispana en Los Ángeles

El trabajo conjunto e identificación cercana del Templo Ánge-lus, la Universidad Bíblica L.I.F.E, la Misión Mexicana McPherson, y la Escuela Bíblica continuó hasta comienzos de los años treinta. Esta extensión ministerial del Templo Ángelus estaba prosperando en el Señor Jesús. La Misión Mexicana McPherson llevó a cabo la primera "reunión de la rama mexicana" en febrero de 1931, y se convirtió en la primera de muchas reuniones de habla hispana para el liderazgo del ministerio creciente de habla hispana del Templo Ángelus ("Multitud asiste a la primera reunión de la rama mexi-cana," *Foursquare Crusader* 4 de marzo de 1931, 8).

El Pastor Gamboa fue el anfitrión, en el Templo Ángelus, de una "gran reunión de compañerismo de gente mexicana del sur de Cali-fornia," la cual incluyó parte de las iglesias Cuadrangulares de habla hispana e iglesias recién plantadas. El propósito de esta reunión era de *"fomentar el interés del tabernáculo mexicano y traer a la gente me-xicana a un compañerismo con el Templo Ángelus, para que sintieran que eran una de las unidades de esta gran organización."* Al finalizar la reunión, se recibió una ofrenda de amor *"a beneficio de la Misión Mexicana, para el fondo de pago de construcción"* ("Compañerismo Mexicano," *Foursquare Crusader* 18 de febrero de 1931, 1).

Es extraordinario encontrar un ministerio de estatura nacional, como el de la hermana McPherson, y una mega iglesia en inglés, de la influencia del Templo Ángelus, trabajando tan intensamente y con tanto propósito para invitar, abrazar, e incluir a otro grupo de su ciudad, con un idioma diferente. El objetivo era claro: desarrollar una iglesia local que hablara inglés y español, sin importar el len-guaje o las diferencias culturales.

La Misión Mexicana McPherson llegó a ser un lugar de reunión familiar para los pastores y congregaciones Cuadrangulares de habla hispana, y estas reuniones se convirtieron en oportunidades para el estímulo mutuo y la plantación estratégica. Para estas iglesias, las misiones y el apoyo de misioneros estaba convirtiéndose en algo importante, a medida que *"la gente mexicana sentía la necesidad ferviente de promulgar el evangelio Cuadrangular en Panamá, Puerto Rico y las Filipinas"* ("La Misión McPherson anfitriona de iglesias compañeras," *Foursquare Crusader* 25 de febrero de 1931, 2). El Pastor Antonio Gamboa fue el anfitrión para *"todas las ramas mexicanas del Templo Ángelus en el territorio del Sur"* donde los pastores y congregaciones podían dedicar su tiempo para *"dialogar sobre los planes y medios para ayudar a los misioneros Cuadrangulares de estos países"* ("La Misión McPherson anfitriona de iglesias compañeras," *Foursquare Crusader* 25 de febrero de 1931, 2).

La Misión Mexicana McPherson se involucró más y más en la misión de alcances del Templo Ángelus, la cual creció durante los meses consecutivos:

> *La misión española tiene una pasión real por misioneros y está interesada en el desarrollo de la obra misionera en los países donde los obreros Cuadrangulares extranjeros predican entre los españoles. Hay un globo terráqueo, frente de la entrada de la iglesia, en el cual se están depositando las ofrendas de cumpleaños. El dinero recibido en este globo va al fondo misionero* ("El Señor obra maravillas en la misión McPherson," *Foursquare Crusader* 20 de mayo de 1931, 8).

Las congregaciones de habla hispana, provenientes de otras naciones y comunidades diversas del sur de California, ahora estaban planeando ir a *"Judea y Samaria de unos pocos países escogidos y algún día, posiblemente a los confines de la tierra"* comenzando en su "Jerusalén" (Hechos 1:8).

El primer aniversario de la dedicación de la Misión Mexicana McPherson, fue celebrado con un reporte maravilloso de la obra de Dios entre la comunidad hispana del centro de Los Ángeles:

> *La Misión Mexicana McPherson avanza. El Señor está haciendo una obra destacada entre la gente que habla español en la Misión Mexicana McPherson de Los Ángeles… El reverendo*

Antonio Gamboa, graduado de L.I.F.E., ha sido noble en cumplir con su labor y ministrar a la congregación. Los cuerpos enfermos están siendo sanados, las almas están siendo salvas y el bautismo del Espíritu Santo está bendiciendo a muchos corazones. Hay un promedio de asistencia de doscientas personas, y, sin lugar a dudas, el poder de Dios está siendo derramado en el servicio de los domingos. En la Escuela Bíblica Española, se han matriculado más de cincuenta estudiantes y, de vez en cuando se añaden otros ("La Misión Mexicana McPherson marcha adelante," *Bridal Call Foursquare* junio de 1931, 15).

El Departamento de Suministros de La Misión Mexicana McPherson

La Misión Mexicana McPherson siguió el ejemplo del Templo Ángelus al abrir un departamento de suministros de alimentos y ropa en noviembre de 1930, para ayudar a suplir las necesidades de las comunidades de habla hispana e inglés en Los Ángeles. El departamento de suministros del Templo Ángelus había estado sirviendo a la comunidad de Los Ángeles desde agosto de 1927. Este se convertiría en uno de los recursos más importantes de cuidado benévolo durante los años de la Gran Depresión. (Blumhofer 2003, 344).

El departamento de suministros del Templo Ángelus, había comenzado a operar dos años antes de la Depresión, sirviendo como recurso principal para la población de inmigrantes, trabajadores temporales, y residentes de Los Ángeles. El llamado de la hermana McPherson a la "idea de servicio social respaldado por el Templo" indica la forma en ella veía la participación de la iglesia, comprendiendo a la gente que la congregación servía, y lo que significaba servir a la comunidad: *esforcémonos en hacer la carga de nuestros hermanos ligera, y en secar las lágrimas de una raza hermana; el credo y estatus no hacen una diferencia. Todos somos uno a los ojos del Señor* (Blumhofer 2003, 346).

El departamento de suministros del Templo Ángelus era una bendición para todos los que necesitaban ayuda en Los Ángeles, pero "*las demandas del departamento de suministros crecieron dramá-ticamente durante la Gran Depresión, y la hermana insistió en servir a los necesitados sin hacer acepción de raza o credo*" (Blumhofer 2003, 345). Este abrazo a todas las personas en necesidad, sin importar el color de su piel o el idioma que hablaban, fue lo que impresionó al joven Anthony Quinn (Epstein 1993, 380), y es fácil entender por-qué estaba impresionado; las primeras décadas del siglo veinte, no contaban con muchos ejemplos de esta clase de cuidado. El minis-terio de este departamento del Templo Ángelus era asombroso:

> *Desde el 1 de agosto de 1927 hasta el 25 de abril de 1937, casi diez años de actividad; se alimentó a 115.830 familias y 392.653 personas, se proveyó vestuario a 88.332 con 279.727 artículos de vestir. . . el Templo Ángelus, a través de la ayuda de miles de donantes generosos, ha estado en la capacidad de satisfacer las necesidades de suficiente gente como para consti-tuir una gran ciudad. Contando cinco personas por familia y añadiendo las 392.653 personas individualmente alimentadas, alcanzamos la suma de 971.803. Hacia fines del año fiscal, y hasta el 1 de agosto de 1937, sin duda el gran total será más de un millón de personas... alimentadas y ministradas por una institución que no es subsidiada o financiada en un centavo por la ciudad, país u otra organización administrativa de fon-dos públicos* ("El Templo Ángelus y su comunidad necesi-tada—la ciudad de Los Ángeles," *Foursquare Crusader* 5 de mayo de 1937, 2).

El departamento de suministros de la Misión Mexicana McPherson servía a su viña con la misma dedicación y pasión de su congregación madre. El Pastor Gamboa amaba a Los Ángeles—era su comunidad también. El departamento de suministros de la Mi-sión Mexicana McPherson, recientemente establecido, acababa de comenzar pero ya era un impacto en su comunidad. "*En el depar-tamento de suministros mexicano se repartieron 1.047 artículos de ves-tir, se vistió a 474 personas, y cincuenta personas recibieron víveres durante las dos primeras semanas de diciembre"* ("No. 6—El departamento de suministros del Templo Ángelus," *Bridal Call Foursquare* enero de 1931, 30).

El pastor Gamboa estaba comprometido con los valores misionales del Templo Ángelus, y fue un benefactor del entendimiento claro de la hermana McPherson acerca del Reino de Dios y la misión de la iglesia. Por lo tanto, él sabía que el cuidado pastoral de una ciudad tiene en mente a todas las personas, y todas las necesidades de quienes viven en la ciudad; así que, el departamento de suministros de la Misión Mexicana McPherson sería una herramienta maravillosa para ayudar a la gente:

La Misión Mexicana McPherson, en Los Ángeles, bajo el pastorado de Antonio Gamboa, está haciendo una obra social poderosa. En los últimos diez meses, desde su inauguración, ha estado funcionando con una eficiencia creciente y cientos han sido ayudados por la gente de la misión Cuadrangular. Cerca de nueve mil prendas de vestir han sido distribuidas, treinta y ocho cobertores han sido repartidos, cien vestidos hechos, y cuatrocientas veintitrés familias, para un total de mil trescientas cincuenta y siete personas han sido alimentadas ("Algunos frutos en las ramas da La Misión Mexicana," *Bridal Call Foursquare* agosto de 1931, 15).

Además de suministrar alimentos y ropa a los necesitados, la oración era parte esencial del cuidado individual y de las familias. La oración intercesora siempre acompañó a la distribución de alimentos y ropa, y los equipos de oración fueron movilizados para ministrar a cualquiera que tuviera necesidad: *"Un hecho notable es que hay cerca de cien hombres y mujeres en oración una hora, cada día, intercediendo por la obra del Señor y las necesidades de su pueblo"* ("Algunos frutos en las ramas da La Misión Mexicana," *Bridal Call Foursquare* agosto de 1931, 15).

La Misión Memorial McPherson Madura y Crece en Influencia

La Misión Mexicana McPherson continuó creciendo en números e influencia durante el comienzo de 1930. La fortaleza del ministerio de esta iglesia puede sentirse en una invitación a un servicio de avivamiento del 18 de noviembre de 1933:

> *Dolores Dudley, quien recientemente realizó una campaña en el Templo Ángelus, estará hablando a través de un intérprete a la gente mexicana de la Misión Mexicana McPherson el próximo sábado en la noche... que se llevará a cabo en la esquina de la calle Pleasant y Las Vegas, un centro de avivamiento y la Iglesia Protestante Mexicana más grande en Los Ángeles... El Reverendo Antonio Gamboa... urge a todas las personas que planean asistir el sábado por la noche a llegar temprano ya que el lugar solamente tiene capacidad para ochocientas personas* ("La señora Dudley hablará a la gente mexicana el 18 de noviembre," *Foursquare Crusader* 15 de noviembre de1933, 5).

La Misión Mexicana McPherson crecía en tamaño y reputación; convirtiéndose en otro centro de avivamiento para la ciudad de Los Ángeles, al servir a su comunidad de habla hispana. El entrenamiento del Pastor Gamboa en L.I.F.E y la tutoría de la hermana McPherson, nutrió una expectativa ante el Señor Jesús; de que cada servicio sería una oportunidad para evangelismo, milagros, y encuentros personales con Dios. Él invitó tanto a evangelistas de habla inglesa como hispana a predicar en los muchos servicios llevados a cabo durante la semana. Al expandirse el ministerio de la iglesia, hubo una apertura mayor al poder de Dios y la esperanza de que él renovaría y refrescaría a su pueblo continuamente:

> *La Obra Mexicana en Los Ángeles Está Creciendo; Avivamiento Continuo en Los Ángeles, California—El reverendo Antonio Gamboa reporta que el Señor está bendiciendo a la*

Misión Mexicana en Los Ángeles. Las almas están siendo salvas y muchos cuerpos enfermos están siendo sanados. Un avivamiento continuo está sucediendo y la obra está creciendo... Estamos teniendo reuniones cada noche con evangelistas americanos y mexicanos predicando ("Reportes de los campos de cosecha. La obra mexicana en Los Ángeles está creciendo: Avivamiento continuo," *Bridal Call-Crusader Foursquare* 19 de septiembre 1934, 3).

Consolidación: La Misión Mexicana McPherson Desarrolla una Identidad Separada

El Templo Ángelus y la red de iglesias estaba creciendo y multiplicándose y esto sin el beneficio de un plan de organización, estructuras funcionales claramente articuladas, o alguna supervisión administrativa significativa. La hermana McPherson era una evangelista y predicadora de avivamientos; la administración intencional y hábil no eran algo a lo cual ella se dedicaba fácilmente (Rolf McPherson 2006). Era cada vez más evidente que se requería de una supervisión específica, y una buena administración demandaba que se implementaran nuevos procedimientos lo más pronto posible. Con este fin, se dio inicio a un período de consolidación, bajo la dirección de la hermana McPherson y el administrador recién contratado, Dr. Giles Knight.

Esta consolidación fue un aspecto de una reestructuración más amplia, de la que el Dr. Knight era responsable de supervisar en el Templo Ángelus y dentro del desarrollo de la Iglesia Cuadrangular. (Blumhofer 2003, 349-351). El Dr. Rolf McPherson recordó que la *"obra estaba siendo fragmentada en demasiados líderes y ninguno a cargo"* y había necesidad de un mayor liderazgo administrativo. La decisión fue hecha para reforzar los estatutos de la Asociación Evangelística de Echo Park (corporación que incluía al Templo Ángelus y su red de congregaciones) y pedir que los pastores de las iglesias que formaban la red, colocaran sus propiedades bajo la cobertura de la Asociación Evangelística de Echo Park (Rolf McPherson 2006, 2).

El Templo Ángelus no había retenido ningún derecho sobre la propiedad y edificio de la Misión Mexicana McPherson. Como parte de este movimiento de reestructuración, los pastores Gamboa y Cortés fueron invitados a poner el tabernáculo y la propiedad bajo la cobertura de la Asociación Evangelística de Echo Park. La hermana McPherson y el Templo Ángelus habían respaldado y financiado el desarrollo del ministerio y la construcción del tabernáculo ("La Misión Mexicana progresa," *Foursquare Crusader* 21 de mayo de 1930, 3), pero el liderazgo de la Misión Mexicana McPherson entendió que estas inversiones eran donaciones a la congregación sin ninguna obligación más allá de una deuda de gratitud. La relación entre la hermana McPherson, el Templo Ángelus, los pastores Gamboa y Cortés, y la Misión Mexicana McPherson fue tal, que esta era la primera vez que la pertenencia de la propiedad era discutida.

Esta situación era típica en los muchos asuntos similares enfrentados por la Iglesia Cuadrangular, en su desarrollo de un alcance evangelístico y avivamiento con extensas relaciones interdenominacionales, a una estructura denominacional más estable, interdenominacional en espíritu, que animaba las asociaciones interdenominacionales. El fuego del avivamiento había ardido luminosamente, pero había llegado el momento de que los fuegos de avivamiento fueran colocados en una chimenea de diferentes tipos para asegurar su vitalidad continua. Para algunos líderes, esta fue una transición difícil, y la situación con la Misión Memorial McPherson necesitaba ser manejada en oración y en el mismo espíritu que le dio nacimiento y nutrió su crecimiento.

La hermana McPherson, y la junta directiva de la Asociación Evangelística de Echo Park, decidió no disputar la comprensión de los pastores Gamboa y Cortés sino formalmente transferir la posesión de la propiedad y tabernáculo al liderazgo de la Misión Mexicana McPherson por mil dólares (minuta de la reunión del Gabinete Misionero – Junta Directiva 19 de noviembre de 1935). Al recordar esos días de desafío, el Dr. McPherson mencionó que la decisión de casi obsequiar la propiedad y el tabernáculo fue intencional, aunque no pudo recordar muchos de los detalles de la transición (Rolf McPherson 2006, 2). La Misión Mexicana McPherson se convirtió en una iglesia con identidad propia al continuar trabajando junto con la hermana McPherson, el Templo Ángelus, y la iglesia Cuadrangular.

Un artículo en el *Foursquare Crusader* de enero de 1937, bajo el encabezamiento "*Reportes de Noticias de Terrenos Cuadrangulares,*" confirma que el espíritu de cooperación entre estas dos congregaciones grandes era más fuerte que nunca y su relación no fue afectada de ninguna manera:

> *La Misión Mexicana McPherson Marcha. La Misión Mexicana McPherson… está experimentando un avivamiento glorioso… La Misión fue construida y dedicada por nuestra hermana McPherson, y fue apoyada por el Templo Ángelus durante cinco años. Ahora la iglesia es auto-suficiente. Deseamos expresar nuestra gratitud a la hermana, porque fue a través de sus esfuerzos que este hermoso edificio fue levantado. Hay un gran futuro para la obra Cuadrangular mexicana en esta ciudad. La iglesia es pastoreada por Antonio Gamboa, un graduado de L.I.F.E.* ("Noticias Breves de los campos misioneros," *Foursquare Crusader* 20 de enero de 1937, 5).

Además de las incesantes responsabilidades pastorales del pastor Gamboa, él continuó sirviendo en la Radio K.F.S.G. como predicador en español, profesor e intérprete para las transmisiones en español a mediados y a finales de los treinta y, específicamente, para el programa semanal en español los miércoles en la noche ("K.F.S.G. radio gráficas," *Foursquare Crusader* 4 de mayo de 1938, 4). Los programas de radio del Pastor Gamboa continuaron siendo la voz en español del Movimiento Cuadrangular del Templo Ángelus por años, después de la venta de la propiedad a la congregación de la Misión Mexicana McPherson.

Con el transcurso de los años, hubo más cambios en la Misión Mexicana McPherson. El Pastor Antonio Gamboa continuó como pastor principal de la iglesia, y el reverendo B. N. Cortés, su co-pastor por muchos años, se trasladó a Van Nuys, California, para servir en la iglesia Cuadrangular ubicada en Lamona Avenue ("Guía de Comprador. La antorcha se desliza," *Foursquare Crusader* febrero de 1940, 46). Después del fallecimiento de la hermana McPherson, en septiembre de 1944, el liderazgo de la Misión Mexicana McPherson sintió que había llegado el momento de cambiar formalmente el nombre de la iglesia, y en agosto de 1951, la Misión Mexicana McPherson se convirtió en el Templo Cristiano Iglesia Mexicana ("Boda Misionera," *Revista Cuadrangular* agosto de 1951, 22).

El relato histórico de la Iglesia Cuadrangular, describe brevemente la transición del ministerio de la Misión Mexicana McPherson de una iglesia Cuadrangular a una iglesia independiente. En 1992, esta congregación de habla hispana todavía estaba sirviendo a la comunidad de la Avenida Pleasant:

> *Aimee Semple McPherson fue amiga del gran evangelista mexicano, Rev. Olazábal. Muy tempranamente en nuestra historia, una iglesia hispana fue apoyada en el este de Los Ángeles, California, fundada por Antonio Gamboa. Por décadas, la iglesia envió a muchos estudiantes a la Universidad Bíblica L.I.F.E. Esta iglesia de la Avenida Pleasant, conocida hoy como "Iglesia del Buen Pastor," lamentablemente no es parte de La Iglesia Cuadrangular. Nadie parece recordar la razón de su separación, pero la Iglesia Internacional del Evangelio Cuadrangular ICFG de ninguna manera ha disminuido su interés en la comunidad hispana, ni su amistad hacia esa congregación* (Van Cleave 1992, 83).

Capítulo Cinco

Un Profundo Amor y Respeto

LA HERMANA MCPHERSON siempre experimentó un gran apoyo y sintió el amor de muchos en la comunidad hispana de Los Ángeles, como también de los pastores y miembros de las congregaciones Cuadrangulares de habla hispana. Los años de cuidado y respaldo les confirmaron que ella era su amiga y colaboradora en la obra de Dios. La respuesta de los líderes de habla hispana y congregaciones fue siempre de respeto y admiración.

Frecuentemente, la última palabra es la más significativa y la que afecta más. La hermana McPherson falleció en septiembre 27, de 1944, y la comunidad de habla hispana fue parte del tributo final en el servicio en su memoria llevado a cabo el 8 de octubre de 1944. Las iglesias mexicanas Cuadrangulares, como eran llamadas, dieron las gracias y un adiós final por todo lo que ella había hecho, presentando un hermoso tributo floral en su honor. El arreglo floral tenía la forma de un escudo con una cruz tan grande como el arreglo mismo. En el centro del escudo, y sosteniendo el emblema Cuadrangular, se hallaba una biblia floral. El texto en el arreglo decía, "*A nuestra líder. Iglesias Mexicanas*" ("tributos florales—Rama de Iglesias," *Revista Cuadrangular* noviembre de 1944, 33).

Debido a la relación cercana y el compañerismo entre la hermana McPherson y la comunidad de habla hispana, es comprensible, aunque sorprendente, que de los cientos de tributos presentados, el arreglo de la Iglesia Mexicana fue uno de los pocos fotografiados por la edición memorial de la Revista Cuadrangular. Esta sola fotografía, habló muy fuerte del profundo amor y respeto sentido por miles de hombres y mujeres que fueron tocados por su ministerio.

¡La Cosecha! Líderes de habla Hispana, Congregaciones, y Compañerismo Bilingüe /Bicultural en Los Ángeles

La Revista Cuadrangular *Bridal Call* anunciaba, "*Los Ángeles, siendo la 'ciudad mexicana' más grande en Los Estados Unidos, es un gran terreno para la 'obra misionera'*" ("La Escuela Bíblica Mexicana," abril de 1931, 10). La hermana McPherson y la congregación del Templo Ángelus creyó en esto y respondió tanto orando y sirviendo a la comunidad de habla hispana, como desarrollando líderes y plantando nuevas iglesias. La eclesiología y la práctica del Templo Ángelus fue demostrada dándole la bienvenida a todos los que llamaban a Los Ángeles su casa, y, tanto el liderazgo como la congregación, estaban comprometidos a llevar las buenas nuevas a todo el mundo, comenzando en Los Ángeles.

El impacto del ministerio de Aimee Semple McPherson y el Templo Ángelus desde el 1 de enero de 1923, hasta su muerte en 1944, tanto entre las comunidades de habla hispana de Los Ángeles como en las ciudades fuera del condado, fue destacado aunque no totalmente calculado. La insuficiencia de un mantenimiento de registros detallado durante los primeros años del Templo Ángelus, la carencia de información detallada sobre el liderazgo del Templo Ángelus y estrategia de plantación de iglesias al servir a la comunidad de habla hispana, impidió una comprobación completa, y esto es lamentable.

Hoy, en un mundo de pluralidad religiosa y ciudades formadas por naciones, uno puede pasar por alto fácilmente el cambio sísmico en el enfoque ministerial del Templo Ángelus y, sin lugar a dudas, el potencial para cumplir con el mandato de Hechos 1:8 localmente, cuando el departamento de Escuela Dominical comenzó a proveer clases en español. No era sólo una innovación en el Templo Ángelus, sino que también era una innovación para las iglesias que servían a ciudades cosmopolitas en Los Estados Unidos. La clase de español y las otras clases enseñadas en japonés, armenio, y alemán fueron los comienzos desfavorables de un alcance centrado en el Reino para ser la Iglesia en una ciudad compuesta de naciones.

La evidencia del pensamiento claro de la hermana McPherson y el entendimiento bíblico de la misión de la iglesia para servir en el poder del Espíritu Santo a la gente de Los Ángeles, sus alrededores, a través de Los Estados Unidos, y alrededor del mundo, pueden ser vistos y experimentados en lo que continúa de este temprano comienzo. La revitalización actual y ministerio del Templo Ángelus, la participación que la Universidad Bíblica L.I.F.E. (ahora L.I.F.E. Pacific College en San Dimas, California) desempeña en entrenar líderes para la iglesia y ministerio Cuadrangular, la fuerza de la Iglesia Cuadrangular en Los Estados Unidos y alrededor del mundo, y el crecimiento y ministerio global de la Iglesia Hispana del Templo Ángelus, celebran el sentido de misión, liderazgo, comprensión del Reino de Dios y discernimiento espiritual de la hermana Aimee Semple McPherson.

Actualmente, el Templo Ángelus continúa sirviendo a las naciones de habla hispana del mundo y los ciudadanos hispanos del área metropolitana de Los Ángeles a través del ministerio, alcance evangelístico y capacitación ministerial de la Iglesia Cuadrangular, *Templo Ángelus Hispano* y su *Instituto Bíblico Ángelus*. El legado de la hermana McPherson puede ser hallado en el ministerio y misión de los pastores, líderes y congregaciones que han surgido de estas dos grandes iglesias.

La Iglesia Cuadrangular Expande el Ministerio de Habla Hispana a Través de la Plantación de Iglesias

La relación entre el Templo Ángelus y la Misión Mexicana McPherson fue la más prominente de las relaciones madre-hija durante el ministerio de de la hermana McPherson, pero no fue la única iglesia de habla hispana a la que el Templo Ángelus dio a luz. Hubo otras congregaciones y misiones que fueron establecidas tan pronto como en el año 1927 en Los Ángeles y sus alrededores. En los años siguientes, se dio la bienvenida a oportunidades maravillosas a medida que se establecían congregaciones de habla hispana en la gran ciudad de Los Ángeles, en otras partes de California, y en otros estados. El Templo Ángelus y la desarrollada Iglesia Cuadrangular, plantó congregaciones de habla hispana en Watts, Burbank, Owensmouth (ahora Canoga Park), Oxnard, Pasadena, Willowbrook, y Downey antes y durante el desarrollo de la Misión Mexicana McPherson (Zeleny 2006b). Los reportes de estas congregaciones venían al Templo Ángelus y en retorno, eran leídos ante la congregación y el público interesado, por medio de la radio K.F.S.G. y a través de varias publicaciones de la iglesia. No había escasez de fe ni de visión entre el liderazgo de las nuevas iglesias de habla hispana:

> *La obra mexicana en Elysian Park... es una de las iglesias Cuadrangulares más nuevas... La señora Anna Mathias, quien está pastoreando la obra, reporta la respuesta más maravillosa al Evangelio Cuadrangular entre la gente mexicana de esa vecindad. Tan pronto como las puertas son abiertas, las multitudes de gente, con un corazón hambriento, entran apretujándose entre sí.* ("Respuesta maravillosa al evangelio entre los mexicanos," *Foursquare Crusader* 25 de febrero de 1931, 5).

Había mucho por lo cual estar agradecidos, mientras estas iglesias eran plantadas y nutridas por el Templo Ángelus. Los miembros del equipo de liderazgo del Templo Ángelus asistieron a la dedicación del nuevo santuario de quinientos asientos de la Iglesia Cuadrangular Mexicana Getsemaní en Los Ángeles. El santuario fue construido "*a través de los esfuerzos del Pastor José M. Jiménez, su congregación, y el respaldo financiero del* [Templo Ángelus] *Fondo de Extensión del Hogar*" ("Dedicación de una nueva iglesia mexicana," *Foursquare Crusader* 2 de marzo de 1938, 3). La necesidad de un santuario más grande y la exitosa culminación del proyecto de edificación, fueron una evidencia adicional de la bendición del Señor a medida que la Iglesia Cuadrangular ministraba en la comunidad de habla hispana.

No se debe olvidar que esta búsqueda sincera del ministerio hispano estaba ocurriendo mientras el ministerio del Templo Ángelus estaba en su apogeo, y las iglesias anglas eran plantadas a ritmo rápido. Había mucho que ameritaba atención y requería legítimamente el tiempo de la hermana McPherson y el liderazgo del Templo Ángelus. El ministerio semanal del Templo Ángelus incluía veintidós servicios; el ministerio del movimiento Cuadrangular estaba creciendo, y los asuntos financieros importantes que enfrentaba a comienzos y mediados de los treinta, requerían la apropiada atención de tiempo y energía de la hermana McPherson. Aun así, ella y el Templo Ángelus continuaron alcanzando a la comunidad hispana en Los Ángeles y a través del oeste y medio oeste.

El fruto proveniente de esta atención dedicada y sincera, de servir a la comunidad hispana cada vez que había una oportunidad y una puerta abierta, era sorprendente en esos días. La gráfica 2, identifica sesenta y tres congregaciones de habla hispana en cinco estados que el Templo Ángelus plantó, respaldó, o adoptó desde 1923 a 1944.

Gráfica 2.

Congregaciones de habla hispana establecidas desde 1923 a 1944

Nombre de la Iglesia 1923-1929	Ciudad	Estado	Año
Willowbrook Mexicana	El Monte Sur	California	1924
Iglesia Mexicana de Burbank	Burbank	California	1928

Gráfica 2. Continuación

Watts Mexicana	Los Ángeles	California	1928

1930-1939

Owensmouth Mexicana	Los Ángeles/ SF Valley	California	1930
Oxnard	Oxnard	California	1930
Burbank	Burbank	California	1930
Pasadena	Pasadena	California	1930
Downey	Downey	California	1930
Tres otras misiones sin nombres			1930
Misión Mexicana McPherson	Los Ángeles	California	1930
Belvedere-Mexicana	Los Ángeles Pasadera	California	1930
Downey Mexicana	Downey	California	1930
Iglesia Cuadrangular Española (llamada Misión Mexicana en 1933)	Berthoud	Colorado	1931
Iglesia Cuadrangular Highland Park LA	Los Ángeles	California	1931
Misión Española de Burbank	Burbank	California	1932
La Nueva Obra Haven	New Haven	Michigan	1932
Iglesia Mexicana Getsemaní	Los Ángeles	California	1932
La Habra Mexicana	Los Ángeles	California	1932
San Gabriel Mexicana	San Gabriel	California	1933
Misión Cuadrangular Mexicana de Pomona	Pomona	California	1933

Iglesia Mexicana	Oeste Los Ángeles	California	1933
Madrid Mexicana	Madrid	Nuevo México	1933
Sur de Montebello Mexicana	S. Montebello	California	1933
Los Nietos Mexicana	Los Nietos	California	1934
Iglesia Cuadrangular Pecan Valley en San Antonio	San Antonio	Texas	1934
Watts Mexicana	Los Ángeles	California	1935
Miliken Española	Miliken	Colorado	1935
Iglesia El Buen Samaritano en Newhall	San Fernando	California	1935
Compton Mexicana	Los Ángeles	California	1936
Longmont Española	Longmont	Colorado	1936
Donna Mexicana	Donna	Texas	1936
Chatsworth Mexicana (no organizada)	Chatsworth	California	1937
El Monte Mexicana	El Monte	California	1938
Jeimtown Mexicana	Whittier	California	1938
Norte de Hollywood Mexicana	Norte de Hollywood	California	1938
Oxnard (Colonial Gardens)	Oxnard	California	1938
Hueneme	Hueneme	California	1938
Santa Barbara	Santa Barbara	California	1938
Ojai	Ojai	California	1938
Eaton Española	Pierce	Colorado	1938

Gráfica 2. Continuación

Canoga Park Mexicana	Canoga Park	California	1939

1940-1944

Pasadena Mexicana	Pasadena	California	1940
Denver Española	Denver	Colorado	1940
Erie Española	Erie	Colorado	1940
Ft. Collins Española	Ft. Collins	Colorado	1940
Cuba Española	Cuba	Nuevo México	1940
Madrid Española	Madrid	Nuevo México	1940
Alice Española	Alice	Texas	1940
Chapman Ranch Española	Chapman Ranch	Texas	1940
Corpus Christi Española	Corpus Christi	Texas	1940
Poth Española	Poth	Texas	1940
Iglesia Cuadrangular Aposento Alto	Palmdale	California	1940
Los Nietos Mexicana	Los Nietos	California	1942
Frederick Española	Frederick	Colorado	1943
Este de Hollywood Mexicana	Este de Hollywood	California	1944
San Fernando Española	San Fernando	California	1944
Taft Mexicana	Taft	California	1944
Pan American Española	Los Ángeles	California	1944

| Sinton Española | Sinton | Texas | 1944 |
| Iglesia Cuadrangular latina de Littlefield | San Antonio | Texas | 1944 |

Fuentes: Susan Rowe, Steve Zeleny, Jorge Sandoval, Beverley Ríos, y John Cashdollar. *Congregaciones de Habla Hispana: 1923-1944*. Agosto 10 del 2007. Los Ángeles, CA. Departamento de Archivos de la Iglesia Cuadrangular.

Además de estos esfuerzos intencionales de plantación de iglesias de habla hispana, habían también ministerios de alcance evangelístico a los miles de trabajadores rurales que se desplazaban frecuentemente, siguiendo la cosecha de una larga variedad de cultivos alrededor de California. Estos trabajadores no se establecían en una comunidad particular, por lo tanto el alcance era primeramente evangelístico con el entendimiento de que ellos llevarían las buenas nuevas con ellos al trasladarse al próximo trabajo. En este sentido, el trabajador rural de habla hispana se convertía en un evangelista ambulante y podría haber sido responsable tanto de la extensión del evangelio entre la población de habla hispana como del ministerio de plantación de iglesias.

"La Iglesia Cuadrangular en Moorpark sigue adelante con Dios," dice su pastora, la hermana Maybelle Reel. "Cada domingo, durante la temporada de damascos, se llevan a cabo servicios especiales para los trabajadores en el rancho A. S. Williams a casi dos millas de la ciudad…" La hermana Reel afirma que en estas reuniones a campo abierto, muchas manos fueron levantadas para recibir salvación y cerca de catorce mexicanos vinieron y se arrodillaron después en la Iglesia Cuadrangular de Moorpark, aceptando públicamente a Cristo como su Salvador ("Fruto Mexicano, Los trabajadores escuchan en el evangelio en la iglesia de Moorpark," *Foursquare Crusader* 15 de julio de 1931, 7).

Esta búsqueda intencional a la comunidad de habla hispana a través del evangelismo y plantación de iglesias, fue el resultado de una teología, un sentido de misión y eclesiología que reconocía que todos los que viven en la comunidad pueden y deben ser servidos de alguna manera por la congregación. Cuando el Señor le dio a la hermana McPherson la responsabilidad de pastorear a la ciudad de Los Ángeles, él le dio a cada persona en Los Ángeles, y la hermana McPherson descubrió rápido que algunos de estos residentes hablaban español. Esto, y solamente esto, puede explicar la razón por la cual ella y el Templo Ángelus dieron tanto para servir a la comunidad de habla hispana como a otros grupos en esta gran ciudad.

El Departamento y la Iglesia Hispana del Templo Ángelus

Un Período de Inactividad

Aimee Semple McPherson era entusiasta en alcanzar a la comunidad hispana, y el Templo Ángelus tenía un ministerio próspero debido a su liderazgo y pasión personal. Sin embargo, a mediados de los años cuarenta, el Templo Ángelus y La Misión Mexicana tomaron rumbos diferentes y el ministerio local de habla hispana del Templo Ángelus quedó prácticamente inactivo. Para ser claro, el Templo Ángelus y la Iglesia Cuadrangular continuaron plantando iglesias de habla hispana en Los Ángeles y dondequiera que hubiera oportunidad, pero como iglesia local, el Templo Ángelus no desarrolló de nuevo éste ministerio intencionalmente sino hasta mediados de los años sesenta.

El Dr. Rolf McPherson sirvió como pastor del Templo Ángelus desde el fallecimiento de su madre, en septiembre de 1944, hasta 1953. El fallecimiento repentino de la hermana McPherson, el crecimiento nacional e internacional de la iglesia Cuadrangular, y los cambios inevitables, las oportunidades y desafíos que enfrentó la Iglesia Cuadrangular en los años posteriores a su muerte, absorbieron el tiempo y la energía del Dr. McPherson, la junta directiva de la Iglesia Cuadrangular, y el liderazgo del Templo Ángelus. El Dr. McPherson sintió que el ministerio de habla hispana "estaba ocurriendo" a través de la plantación de iglesias, pero en el Templo Ángelus no hubo desarrollo local de ningún alcance evangelístico de habla hispana durante este período (Rolf McPherson 2006).

Un Cambio en el Centro de Gravedad

Ray Bakke competentemente resume como el rostro mundial del cristianismo cambió durante el siglo veinte:

En 1900, el 90 por ciento de todos los cristianos en el mundo entero eran de raza blanca, del norte y occidente de Europa y América. Hacia 1980 el centro de gravedad había cambiado, y ahora la mayoría de los cristianos en el mundo no eran de raza blanca, del norte o del occidente. (Bakke 1997, 145).

Este cambio global se estaba sintiendo en Los Ángeles, y la población de hispano-parlantes, a quienes ahora comúnmente se refiere como población hispana, continuó creciendo desde 1945 a1965. El vecindario de Echo Park, alrededor del Templo Ángelus, también cambió debido a su crecimiento. En abril de 1940 un censo informó que se estimaba que habían 212.000 *"personas de ascendencia mexicana"* viviendo en Los Ángeles (Spaulding 1946, 220). La población hispana continuó creciendo, y muchos habían hecho de Echo Park su hogar. La revista *Time* reportó que, *"En 1970 los hispanos reemplazaron a los negros como la minoría más grande en Los Ángeles. Ahora ellos sobrepasan a los blancos, cuya porción de la población de la ciudad ha declinado de 80.9% en 1950 a una tasa proyectada del 44.4% en 1980"* ("Los Ángeles," *Time* 16 de octubre de 1978). El hemisferio sur se estaba mudando al norte y occidente en números sin precedentes.

El campo misionero continuó creciendo alrededor del Templo Ángelus, y el Señor comenzó a moverse en el corazón de algunos en liderazgo; era tiempo de volver a comenzar un ministerio hispano entre la primera generación de familias de habla hispana y sus hijos bilingües y biculturales. A mediados de los años sesenta la reverenda Leita Mae Stewart, miembro del equipo pastoral del Templo Ángelus y secretaria del pastor y presidente de la Iglesia Cuadrangular, Dr. Rolf McPherson, dirigió un club bíblico en el vecindario, regularmente asistido por muchos niños bilingües y biculturales de hogares de habla hispana. Esta estrategia había sido usada en los primeros años del Templo Ángelus como forma de establecer iglesias de habla hispana alrededor del sur de California. "*La Iglesia de los Niños*" fue el primer paso para alcanzar a los padres y establecer una iglesia Cuadrangular ("Los niños abren el camino en la obra española en Burbank," *Foursquare Crusader* 21 de octubre de1931, 4). A los niños les encantaba el club bíblico, pero frecuentemente sus padres y algunos sacerdotes católicos tenían sospechas y se preocupaban a causa de este estudio bíblico.

El Dr. McPherson recordó que los sacerdotes y las monjas de las iglesias católicas locales venían a ver lo que Dios estaba haciendo en el Templo Ángelus para recibir ideas porque estaban preocupados de perder a sus congregantes (Rolf McPherson 2006). Leita Mae recordaba que "*el sacerdote local católico amenazó* [a los padres de estos niños hispanos] *de que si ellos no impedían que los niños asistieran al club bíblico serían excomulgados de su iglesia. Esto afectó la asistencia de una manera mínima*" (Stewart, 2006, 1).

La rama de iglesias de habla hispana experimentó una dificultad similar al ministrar a esta comunidad en los primeros años de esfuerzos de plantación de iglesias del Templo. La pastora Esther Bateson de la Iglesia mexicana de Downey, California, informó:

> *Muchos permanecen de pie afuera, escuchando atentamente los servicios, pero no se atreven a entrar debido a que los sacerdotes les prohíben hacerlo. Los obreros tienen fe de que en el tiempo del Señor él los traerá y cambiará su característico "¿Quién sabe?" a "Sí, yo sé," o "Sé que el Señor me salvó"* ("Esther Bateson pastorea la iglesia mexicana de Downey," *Foursquare Crusader* 7 de octubre de 1931, 6).

Tal como en el pasado, los fuertes lazos a la iglesia católica, las dificultades del idioma, y las diferencias culturales e incertidumbre con respecto a los pentecostales, frecuentemente hacía difícil que los niños y padres de habla hispana asistieran tanto a los servicios del domingo como los ministerios y alcances semanales del Templo Ángelus. Para estas familias, un estudio bíblico semanal podía ser aceptable para los niños, pero a los adultos se les hacía más difícil cruzar la barrera del lenguaje y la cultura.

El Templo Ángelus no era una iglesia bilingüe o bicultural. Tristemente, los tiempos habían cambiado y la congregación no estaba lista para que los grandes números de familias de habla hispana asistieran a la iglesia (Stewart 2006, 1-2). Leita Mae reflexionó acerca de la participación de los niños hispanos en este club y sobre el sentido de apertura de la congregación del templo a un ministerio hispano intencional:

Algo que me causó dolor en el corazón en ese tiempo, fue el hecho de que la congregación del Templo Ángelus no estaba lista... para aceptar a la gente hispana. Los niños y jóvenes hispanos no se sentían aceptados. Mi corazón estaba con ellos... Bill y Betty Pritchett, queridos amigos y misioneros Cuadrangulares de Costa Rica... también notaron la falta de aceptación" (Stewart 2006, 1-2).

Las oportunidades del ministerio hispano eran demasiado grandes para ser abandonadas debido a la falta de entendimiento cultural, racismo sutil u obvio, o los desafíos de lenguaje y cultura. Y, Leita Mae Stewart no estaba contenta con relegar el ministerio de habla hispana a sólo servir a los niños bilingües en el estudio bíblico del vecindario.

Un día, Leita Mae hizo arreglos para una reunión con el Dr. McPherson, y los reverendos Bill y Betty Pritchett, quienes recientemente habían regresado como misioneros de Centroamérica, para considerar la posibilidad de establecer un ministerio de predicación completo en español, en el Templo Ángelus. El Dr. McPherson *"fue amable y ciertamente pudo reconocer la necesidad y la posibilidad*" (Stewart 2006, 2). Después de la conversación y oración, el Dr. McPherson inmediatamente les preguntó a los Pritchetts si ellos empezarían un departamento de habla hispana en el Templo Ángelus, y ellos aceptaron emocionadamente. El primer servicio de adoración del departamento hispano de Templo Ángelus se llevó a cabo un domingo en junio de 1966. El Dr. McPherson estaba alegre de que este nuevo ministerio se iniciara. "*Fue el resultado de las cosas que pensamos debían ser*" (Rolf McPherson 2006).

Los Pritchetts sirvieron en esta nueva congregación hispana, como un departamento del Templo Ángelus, desde junio a agosto de 1966. Luego, fueron reasignados a Managua, Nicaragua, para ayudar con los esfuerzos de socorro debido a un terremoto, y el reverendo Robert Aguirre fue nombrado como el pastor nuevo. Robert y su esposa, Alva, habían estado ministrando con los Pritchetts desde el comienzo, y sus habilidades pastorales, dones de liderazgo y experiencia como misioneros en Venezuela los recomendó para este pastorado. ("Fuegos de Avivamiento en el Extranjero," *Foursquare World Advance* octubre de 1971, 7).

En octubre de 1966 la revista *Foursquare World Advance* comunicó algunas noticias que fueron una evocación de los primeros días del Templo Ángelus:

El Templo Ángelus Anfitrión de Campañas en Español. El Templo Ángelus ha comenzado un nuevo intento pionero. En los últimos años, mucha gente española ha encontrado a Jesús como su Salvador en el templo... Un número de ellos, como tantos otros, no hablan inglés y estaban deseando servicios en español. Dios puso una carga en el corazón de ciertos guerreros de oración en el Templo Ángelus, y junio de 1966 marcó el lanzamiento de campañas en español cada sábado en la noche. Los niños de nuestros misioneros en los países latinos están participando, con gozo, en estos servicios y otros también han manifestado interés. Dios está usando al reverendo Robert Aguirre y su señora como pioneros de estos servicios y se anticipa que habrá pronto una "iglesia en español permanente" en nuestra iglesia principal. ("Ampliándose en casa para expandirse en el extranjero," *Foursquare World Advance* octubre de 1966, 27).

Este reporte maravilloso estuvo acompañado por lo que fue una vez un recordatorio regular tanto para la congregación de habla inglesa del Templo Ángelus como para la Iglesia Cuadrangular de que el ministerio transcultural y una experiencia misionera eran ahora oportunidades locales:

Dios continúa colocando una carga sobre un número de personas y recientemente hay obreros nuevos que han ofrecido sus servicios voluntariamente. Se cree que las multitudes en el área alrededor del templo serán alcanzadas con el glorioso evangelio Cuadrangular que será predicado a TODAS las naciones. ("Ampliándose en casa para expandirse en el extranjero," *Foursquare World Advance* octubre de 1966, 27).

El Pastor Robert sirvió a la congregación de habla hispana desde junio de 1966 hasta febrero de 1968 seguido por los reverendos David y Graciela Rivera (Sandoval 2006). El Pastor David había servido como pastor de jóvenes, inspirador y dinámico, cuando fue nombrado en marzo de 1968. El vino a Los Estados Unidos desde Puerto Rico, y Graciela nació en Colombia. David se había graduado en la Universidad Bíblica L.I.F.E. y el Instituto Bíblico Latinoamericano de La Puente, California ("Llenos para Llenar. Los Ángeles, California," *Foursquare World Advance* octubre de 1970, 10).

La congregación hispana del Templo Ángelus, como era conocida, conmemoró su cuarto aniversario en 1970 con una gran celebración, y había mucho que celebrar, tanto para el departamento hispano como para el Templo Ángelus. La congregación había crecido a un promedio de 250 los domingos en la mañana, con personas provenientes de "21 países diferentes de Centro y Suramérica." El departamento de jóvenes estaba creciendo y cerca de "*89 jóvenes fueron al campamento...del departamento en español"* ("Llenos para Llenar. Los Ángeles, California," *Foursquare World Advance* octubre de 1970, 10). El Templo Ángelus había redescubierto el gozo de ser una congregación madre e hija:

> *El día completo fue destinado para conmemorar el crecimiento excepcional de este nuevo esfuerzo. Los días de actividad fueron acentuados por la presencia del Señor a medida que se rendía tributo y honor a quienes trabajaron tan fielmente en esta área. Los puntos más destacados del día incluyeron el mensaje de la tarde del reverendo Claude Updike, misionero Cuadrangular de Guatemala... También, y formando parte del servicio, se encontraban el Dr. Rolf K. McPherson, pastor; Dr. Guy P. Duffield, pastor asociado y el reverendo Milton Ellithorpe, evangelista asociado* ("Llenos para Llenar. Los Ángeles, California," *Foursquare World Advance* octubre de 1970, 10).

El pastor David y Graciela sirvieron a la iglesia hasta mayo de 1975. Hubo entonces, una sucesión rápida de pastores. El reverendo Daniel Moncivaez fue nombrado en junio de 1975, pero sólo sirvió a la congregación por dieciocho meses, renunciando en Diciembre de 1976. Fue seguido por el reverendo Lázaro Santana en enero de 1977. El reverendo Santana renunció al pulpito en marzo de 1977, tiempo en el cual el pastor actual, el reverendo Raymundo Díaz, asumió el liderazgo de la congregación hispana del Templo Ángelus.

El Pastor Raymundo era un plantador de iglesias, y había pastoreado su tercera iglesia plantada en la ciudad de Monterrey, México. Él tenía una relación maravillosa con su congregación y la comunidad. Sin embargo, el Señor Jesús le había dicho que se trasladara a Los Ángeles para servir en el departamento de habla hispana del Templo Ángelus. El pastor Raymundo aceptó el llamado, y continúa sirviendo a esta congregación hasta el día de hoy.

Una Nueva Etapa del Ministerio Para la Congregación Hispana del Templo Ángelus

El 1 de abril de 1981, el Dr. Harold y Winona Helms asumieron el pastorado del Templo Ángelus (Ezra 7 agosto 2006). La congregación de habla inglesa del Templo Ángelus había declinado a través de los años debido a cambios demográficos en la comunidad de Echo Park, donde el Templo Ángelus está localizado, y por la carencia de estacionamiento adecuado. La disponibilidad de iglesias Cuadrangulares saludables, fuertes, y orientadas a la misión en áreas alrededor creó también opciones para la comunidad.

El Dr. Helms estaba comprometido a revitalizar la congregación de habla inglesa y alcanzar a los de diversos idiomas y grupos culturales que ahora constituían Echo Park. El reflexionó acerca de su llegada al Templo Ángelus y el rol simultáneo de servir a la congregación hispana del Templo Ángelus, como era conocida:

Después de haber estado en el Templo por un tiempo, Ray Díaz me dijo que él había estado bastante aprensivo en cuanto a venir al Templo Ángelus. Su razón era que el Dr. Courtney y él se habían llevado muy bien y que yo era del sur donde él había escuchado que el racismo caracterizaba a esa región del país. Estoy agradecido de que nos hayamos convertido en grandes amigos y de que nuestra relación haya crecido a través de los años (Helms 2006).

Aunque la congregación de habla inglesa había estado menguando, la congregación hispana del Templo Ángelus, bajo el liderazgo del pastor Díaz, estaba creciendo a paso acelerado, el ministerio estaba prosperando y la congregación estaba impactando el área de Echo Park de muchas maneras importantes. Esta comunidad se había convertido mayormente en una comunidad de primera generación de hispanos, venidos de muchas naciones latinas, debido a situaciones económicas y de empleo. El Templo Ángelus Hispano, como ahora se estaba dando a conocer en la comunidad, se conectó con la comunidad de Echo Park en una forma poderosa, transformando vidas.

El compañerismo de la Iglesia Angla
Y la Congregación de Habla Hispana

Debe recordarse que desde la primera reunión de la congregación hispana en el Templo Ángelus en junio de 1966 hasta marzo 7 de 1977, cuando el Pastor Raymundo Díaz comenzó su etapa de ministerio pastoral, esta "iglesia" era en realidad oficialmente un departamento del Templo Ángelus, y él era técnicamente un miembro de la iglesia de habla inglesa. Además, el Templo Ángelus, como iglesia fundadora de la denominación, era supervisada directamente por el Presidente de la Iglesia Cuadrangular junto con la junta directiva. Este arreglo prevaleció con una infinidad de elementos que podían, en ocasiones, complicar la toma de decisiones, planificación estratégica, y ejecución de supervisión pastoral efectiva.

El Dr. Helms sintió que había razones de peso que requerían navegar los desafíos de continuar la práctica de retener a la congregación de habla hispana como parte del Templo Ángelus:

Nunca nos referimos a estas congregaciones [tanto la congregación hispana como las otras ocho congregaciones que no hablan inglés] *como "iglesias" porque pensé que era importante que nos viéramos como **una** iglesia. Pensamos que también era importante que una iglesia con congregaciones múltiples tuviera un pastor principal. Esto puede sonar racista, pero a mí me parece que es más difícil la aceptación de otros, para otras culturas, que para los americanos.* (Helms 2006).

La necesidad de encontrar maneras de vivir como Cuerpo de Cristo unido, y a la vez expresar la vida y amor de Cristo en el idioma distintivo y cultura de cada comunidad, era de mayor importancia para el Dr. Helms, el Pastor Raymundo, y el liderazgo de ambas congregaciones.

Aunque la relación entre el presidente y la junta directiva de la Iglesia Cuadrangular, estos dos equipos de liderazgo, y las congregaciones se caracterizaba por el amor y compañerismo, casi cada decisión financiera y de uso de instalaciones por parte del liderazgo del Templo Ángelus era supervisada por el presidente y la junta directiva. Esta carencia de independencia pudo haber tenido repercusiones en la relación entre el Pastor Helms y el Pastor Raymundo, pero este no fue el caso.

Claramente, los desafíos de un compañerismo intercultural y las complicaciones potenciales de compartir un edificio con el liderazgo y congregación de habla inglesa, más el crecimiento de la congregación hispana eran conocidos y explorados. El pastor Helms proveyó al pastor Raymundo y la congregación hispana del Templo Ángelus, tanta autonomía de liderazgo y toma de decisiones como le fue posible, dado a las realidades organizacionales y de gobierno.

El Pastor Díaz, su equipo de liderazgo, y su congregación recibieron la mayoría de las ventajas de cualquier iglesia Cuadrangular: toma de decisiones con respecto a finanzas y relaciones bancarias, libertad pastoral en establecer un curso de acción misional o estratégico, y la certeza del uso del auditorio del Templo Ángelus, salones, y otros espacios del edificio del Templo Ángelus. El auditorio fue el recinto donde por primera vez se cantaron coros en inglés y en español en noviembre de 1927 ("Los mexicanos llenan el templo," *Foursquare Crusader* 16 de noviembre de 1927, 5), y era maravilloso que volviera a suceder.

El pastor Raymundo disfrutó la amistad y el compañerismo del Pastor Helms:

No tuvimos impedimentos [en nuestro desarrollo congregacional] *porque teníamos el apoyo completo del Dr. Helms, quien era el pastor principal del Templo Ángelus en ese tiempo... El Dr. Helms permitió que tuviéramos libertad a pesar de que éramos un departamento. Por ejemplo: nuestro consejo de iglesia tomaba nuestras decisiones financieras aunque necesitábamos someterlas para la aprobación del Dr. Helms. El siempre nos apoyó permitiéndonos mantener nuestras decisiones* (Díaz 2006).

La confianza, poder, cobertura y respaldo del pastor Helms al pastor Raymundo, su equipo de liderazgo, y la congregación, permitió que la Iglesia Hispana del Templo Ángelus prosperara y creciera como departamento del Templo Ángelus anglo. El impacto del ministerio de la congregación de habla hispana fue resaltado y promovido cuando el Pastor Helms, en el espíritu de la hermana McPherson, apoyo y proveyó recursos para su productividad.

Alcanzando a la Comunidad: Declaración de la Visión Guerra Espiritual, y Equipamiento de Líderes

Alcanzar a la comunidad hispana de cualquier manera significativa, parecía sólo un sueño durante las primeras semanas del pastorado del pastor Raymundo. *"La asistencia de la iglesia era de aproximadamente 350* [cuando el Pastor Raymundo vino a la iglesia]. *Poco después de su llegada, muchos de los líderes renunciaron y muchos miembros dejaron la iglesia, sólo permanecieron cerca de 50 personas"* (Barahona 2006a, 1). Esto creó una crisis para el pastor nuevo:

> *La mayoría de las personas que dejaron la iglesia fueron invitadas por el pastor anterior para ayudar a plantar una nueva iglesia. Creo que se fueron porque sentían que debían demostrarle fidelidad. Mi pensamiento inicial fue que habíamos cometido un error al venir a Los Estados Unidos y ahora debíamos regresar a México. Sin embargo, el Señor usó a uno de los miembros para que me hablara a través de una palabra profética y dijo que "El Señor no había terminado su propósito en traerme a Los Estados Unidos y que debía apoyarme en él para obtener sabiduría y fortaleza, y que él glorificaría su nombre a través de nuestro pastorado"* (Díaz 2006).

El pastor Raymundo dio a conocer la visión, se comprometió a la guerra espiritual, y dirigió a la congregación en el espíritu del rey David, *"los pastoreó con corazón sincero; con mano experta los dirigió"* (Salmo 78:72).

> *Sabía que estábamos en medio de una batalla espiritual; el Señor me dio un plan de apartar dos días, cada semana, para orar y ayunar unánime con la congregación. A través de esto, vimos que necesitábamos vencer las ataduras* (desánimo y soledad) *que el enemigo estaba imponiendo alrededor de nuestra iglesia* (Díaz 2006).

A medida que el Pastor Raymundo y la congregación comenzaron a compartir una visión común, él empezó a invertir en los valores de esta nueva iglesia dentro del sentido colectivo de la misión que el Señor Jesús les había dado para que cumplieran:

> *Nuestros valores giraban siempre alrededor de la oración y el ayuno y la evangelización de Echo Park. Enviábamos equipos alrededor de la comunidad cada domingo. También teníamos una pasión por el ministerio de grupos pequeños o células, razón por la cual implementamos los estudios bíblicos en casas... Las herramientas principales que utilizamos fueron el entrenamiento de líderes emergentes a través del Instituto Bíblico, los grupos de células en casas, la oración y el ayuno* (Díaz 2006).

El Señor Jesús honró la dedicación de esta iglesia dándole favor en la comunidad. El resultado fue un crecimiento sorprendente para un departamento hispano; la iglesia creció de aproximadamente 50 personas en 1977 a unas 800 en marzo de 1981 y luego a 1.100 personas en asistencia regular a finales de 1982 (Barahona 2006a, 1). Con este crecimiento numérico vino un crecimiento simultáneo en el desarrollo del liderazgo, equipos, alcance evangelístico, ministerio a la comunidad, y ministerios congregacionales. El Pastor Raymundo y su equipo en desarrollo estaban aprendiendo a enfrentar el reto, como él diría, "*de pastorear efectivamente una congregación que consistía de 14 nacionalidades diferentes, cada una con sus propias costumbres y cultura, aunque todas hablaban español*" (Díaz 2006).

Durante el retiro del liderazgo en agosto de 2005, el Pastor Raymundo tuvo una visión en la noche después del primer día, en ella, el vio la palabra "ARDE," y el Señor expandió este acrónimo para mostrarle a él y a su equipo de liderazgo lo que darían de sí mismos en los años venideros (Barahona 2006a, 1):

1. **A**lcanzando al Perdido
2. **R**estaurando las Almas
3. **D**iscipulando a los Llamados A Través de Instituto Bíblico Ángelus
4. **E**nviando Líderes a las Naciones

El Señor le había asignado a la iglesia Cuadrangular Templo Ángelus Hispano, su labor misional para las generaciones y grupos de gentes que vivirían en la comunidad de Echo Park.

Facultad de Teología e Instituto Bíblico Ángelus

Las disciplinas espirituales personales del Pastor Raymundo, su amor por la palabra de Dios, su experiencia pastoral, y la profundidad de sus dones de liderazgo a través de los años, le ayudaron a discernir la voluntad de Dios para establecer un curso estratégico para la congregación. Primero, el pueblo de Dios debe compartir una visión común con el pastor:

La visión era alcanzar a la comunidad alrededor de nuestra iglesia y fortalecer al grupo que estábamos pastoreando a través de diversos retiros y seminarios que desarrollamos durante ese tiempo. También nos aseguramos de que cada persona que sentía un llamado de servir al Señor, recibiera entrenamiento a través del Instituto Bíblico, que en ese momento se llamaba Facultad de Teología (Díaz 2006).

Equipar a líderes es una responsabilidad fundamental de un pastor-maestro (lea Efesios 4:11-12), y es esencial si la iglesia espera cumplir con la obra dada por Jesús. La Facultad de Teología se convirtió en el medio formal por el cual los líderes podían desarrollarse en compañerismo con la iglesia Templo Ángelus Hispano, la congregación vibrante donde los estudiantes podían practicar y aplicar lo que estaban aprendiendo en la sala de clases en situaciones que requerían ministerio. La hermana McPherson había abierto el camino cuando el Templo Ángelus dio nacimiento a la Universidad Bíblica L.I.F.E., y la Misión Mexicana McPherson plantó La Escuela Bíblica en su futuro.

El Pastor Raymundo se unió a la facultad para continuar invirtiendo personalmente, influyendo en las vidas de quienes eran parte de su congregación. Estas decisiones bíblicas tempranas establecieron la plataforma de desarrollo del Instituto Bíblico Ángelus (ABI) por invitación del Dr. McPherson y el Pastor Helms, en 1986 (Barahona 2006a, 1). ABI se convirtió en un instituto de entrenamiento para la iglesia Templo Ángelus Hispano y para el desarrollo de evangelistas, pastores, y misioneros enviados a la cosecha.

La ubicación principal del Instituto Bíblico Ángelus se halla en el Templo Ángelus pero sirve en compañerismo con otros campus de extensión alrededor de la nación y en dos países. Hay campus de extensión en California (Artesia, La Misión de Los Ángeles, Van Nuys, Norte de Hollywood, Palmdale, Reseda, Riverside, Chino, y Rosemead); Texas (Houston); Norte de Carolina (Cary); y Florida (Miami y Orlando). Hay también campus de extensión en San José, Costa Rica, y Santa Tecla en El Salvador (Barahona 2006c).

La inscripción inicial en 1986 fue de 34 estudiantes; 19 en el programa en inglés y 15 en el programa en español. Hoy, la facultad ha crecido a 21 instructores (Barahona 2006b), sirviendo aproximadamente a 119 estudiantes, que reciben instrucción en las instalaciones del Templo Ángelus, y los campus de extensión continúan creciendo. ABI ha graduado a más de 600 estudiantes, y estos graduados están sirviendo a través de Los Estados Unidos en varios ministerios vocacionales, posiciones voluntarias y en lugares de ministerio alrededor del mundo (Barahona 2006c).

La Iglesia Cuadrangular Templo Ángelus Hispano En el Siglo Veintiuno

En el año 2007, la asistencia de la iglesia Cuadrangular Templo Ángelus Hispano era de mil personas cada semana (Ezra 21 de octubre del 2007), y la iglesia ofrece una gama completa de oportunidades para el alcance evangelístico, ministerios de iglesia y actividades para servir a la congregación y la comunidad bilingüe creciente, multicultural y con educación universitaria o de postgrado. Esta estabilidad en el ministerio congregacional y la expansión de servicio en el barrio son aun más significativas porque Echo Park está experimentando una considerable plusvalía y cambio demográfico. La Iglesia Cuadrangular Templo Ángelus Hispano continúa aprendiendo a adaptarse, de tal manera que pueda servir satisfactoriamente a una creciente y versátil comunidad no hispana.

Cuando el Templo Ángelus Hispano concluyó su largo término como departamento el 14 de febrero de 1999, y se convirtió en una iglesia Cuadrangular reconocida y constituida (Ezra 8 agosto de 2006), se señaló el comienzo de una nueva era y de nuevas oportunidades para el ministerio. La congregación continúa compartiendo las instalaciones del Templo Ángelus con la creciente congregación angla, dirigida por el reverendo Matthew Barnett, y, por la gracia de Dios, en un domingo, ¡cerca de cuatro mil personas adoran en inglés y en español en el Templo Ángelus!

Capítulo Seis

Una Vida y Ministerio de Iglesia Local Comprometido a la Diversidad, Entrenamiento de Discipulos y Envío de Líderes

La hermana McPherson y el Templo Ángelus Eran Importantes Para la Ciudad Y los Residentes de Los Ángeles

AIMEE SEMPLE MCPHERSON y la congregación del Templo Ángelus tuvieron un gran impacto tanto en la ciudad de Los Ángeles como en otras ciudades y comunidades a través de Los Estados Unidos. La Iglesia Cuadrangular continúa ministrando en más de 1.880 localidades alrededor de Los Estados Unidos (Brackett 2008) y en 147 naciones alrededor del mundo (Misiones Cuadrangulares Internacionales 2007).

La Iglesia Cuadrangular ministra entre una rica diversidad de grupos y culturas en Los Estados Unidos; por lo tanto, hay mucho que aprender de la hermana McPherson y el ministerio del Templo Ángelus hacia la comunidad de habla hispana en Los Ángeles y como copartícipe en otros lugares. De las tantas lecciones que pueden ser resaltadas, tres de ellas se destacan como cruciales para esta etapa de ministerio para la Iglesia Cuadrangular americana del siglo veintiuno:

1. Como en el caso de la hermana McPherson y el Templo Ángelus, la iglesia local Cuadrangular debe abrazar, en colaboración con el Cuerpo de Cristo, a todas las personas de su comunidad y experimentar un sentido de responsabilidad, asegurarles que se tendrá cuidado de ellas, que serán ministradas, y tendrán la oportunidad de escuchar las buenas nuevas de Jesucristo.

2. Como en el caso de la hermana McPherson y el Templo Ángelus, la iglesia Cuadrangular local debe desarrollar intencionalmente discípulos y entrenar líderes con el propósito expreso de impulsarlos para servir en las comunidades donde su congregación ha sido establecida para hacer la obra del ministerio en el poder del Espíritu Santo.

3. Como en el caso de la hermana McPherson y el Templo Ángelus, la iglesia local Cuadrangular debe desarrollar un modelo de entrenamiento como paradigma principal para la instrucción y servicio a las asociaciones que la iglesia Cuadrangular local desarrolla con la preparación y envío de líderes, particularmente los que sirven a las comunidades inmigrantes y minorías. Este modelo de entrenamiento es el modelo relacional preferido para las asociaciones con otros líderes denominacionales y también con líderes independientes en la comunidad.

Hoy, más que nunca, estas lecciones son muy importantes, especialmente para la iglesia Cuadrangular en Los Ángeles y sus comunidades vecinas. De acuerdo con el censo de Los Estados Unidos del año 2.000, Los Ángeles, donde los distritos hispanos, coreanos y no-étnicos se entremezclan, los idiomas hablados en los hogares, por la población de 5 años o mayor (con un mínimo de una respuesta positiva al idioma) son tan diversos como cualquier gran ciudad americana. La gráfica 3 identifica los números de idiomas hablados en los hogares de Los Ángeles.

Gráfica 3. Idiomas hablados en los hogares de Los Ángeles, California.

Código Postal	Número de Idiomas
90008	17
90020	31
90026 (el código postal del Templo Ángelus)	34
90028	34
90037	22
90039	32
90042	33
90048	31
90057	26
90062	18
90065	30
90066	38

Fuente: Censo de Los Estados Unidos 2000.

En mayor detalle, de acuerdo a los hallazgos del mismo censo, los idiomas hablados en los hogares de Los Ángeles incluyen inglés, español o español criollo, francés (incluyendo Patois y Cajún), francés criollo, italiano, portugués o portugués criollo, alemán, jídish, y otros idiomas germánicos del oeste, idiomas escandinavos, griego, ruso, polaco, serbo-croata, otros idiomas eslavos, armenio, persa, gujarati, hindi, urdu, otros idiomas índicos, otros idiomas indo-europeos, chino, japonés, coreano, mon-Khmer, camboyano, miao, hmong, tailandés, laosiano, vietnamita, y otros idiomas asiáticos, tagalo, y otros idiomas del pacífico, navajo, y otros idiomas norteamericanos nativos, húngaro, árabe, hebreo, idiomas africanos, y otros idiomas no especificados (Censo PCT10, 2000).

Si alguien quisiera alcanzar a Los Ángeles con el evangelio, sería más apropiado preguntarle a esa persona a qué Los Ángeles él o ella se están refiriendo y cuál sería el enfoque de sus oraciones y esfuerzos. ¡Las oportunidades y desafíos son grandes para la Iglesia Cuadrangular a medida que los pastores y líderes consideran en oración cómo pueden ser testigos efectivos en la Ciudad de Ángeles!

Aimee Semple McPherson y el Templo Ángelus: Un Abrazo Personal, Eclesiástico, y Misional de la Gente en Los Ángeles

Como uno puede esperar, cuando el Templo Ángelus fue dedicado en 1923, su ministerio fue provisto primeramente en inglés a una congregación de habla inglesa, siendo éste el idioma y cultura de la pastora fundadora y el vecindario inmediato. A medida que la diversidad de la ciudad fue siendo conocida por la hermana McPherson y la congregación, el Templo Ángelus buscó maneras de servir a todos los grupos de personas sin importar sus culturas o idiomas y lo que es más importante, buscó hacerlo *en* sus culturas e idiomas.

La estrategia de abrazar a la diversidad de Los Ángeles parece obvia en el siglo veintiuno, pero ese no era el caso a mediados del siglo veinte. El entendimiento bíblico de misiones de la hermana McPherson, de alcanzar a grupos diversos y de personas distintas, tanto en casa como en tierras lejanas habitadas por gente diferente y diversa, no era la estrategia de "misiones en casa" común en su día. Fue la comunidad de habla hispana en Los Ángeles la que llegó a ser una de las primeras y más significativas beneficiarias de esta inquietud y esfuerzo del Templo Ángelus.

El ministerio del Templo Ángelus puede ser definido como lo que Darrell Guder llama una "iglesia misional," y en el caso de la hermana McPherson, su ministerio representa a una "líder misional." Una iglesia y ministerio misional son los que expresan la "*naturaleza esencial y vocación de la iglesia como pueblo de Dios llamado y enviado*" (Guder 1998, 11).

La llamada comunidad identificada como ε0κλεκτο/φ, que forma la ε0κκλησι/α, debe darse apropiadamente a la adoración, oración, compañerismo, y estudio de la Palabra de Dios, discipulado, y los otros ministerios y disciplinas de una comunidad de creyentes. La comunidad enviada, identificada como α0ποστο/λοι, del verbo α0ποστε/λλω, ¡es enviada con un mensaje que trae buenas nuevas! Algunas de las actividades de la comunidad enviada son, evangelismo, misiones, cuidado comunitario y servicio en el nombre de Jesús.

Las congregaciones verdaderamente misionales encuentran un balance saludable entre tratar y servir adecuadamente en todo lo que significa ser una comunidad llamada y enviada. Estas congregaciones y líderes entienden que la iglesia local debe ser una comunidad vibrante de fe, oración y adoración. Están comprometidos a desarrollar una iglesia local fuerte, saludable, que reproduce discípulos y líderes que viven una vida llena del Espíritu. Al mismo tiempo, reconocen que la obra del liderazgo es equipar al pueblo de Dios para el ministerio (lea Efesios. 4:11-12) y pedirle al Señor que envíe obreros de su congregación a la mies (lea Mateo. 9:35-38). La iglesia local saludable evangelizará, plantará nuevas congregaciones, y buscará encontrar maneras de bendecir a su comunidad (lea Génesis. 12:1-3). El ministerio personal de la hermana McPherson a través de los años, como evangelista itinerante y como pastora del Templo Ángelus, y el ministerio de la iglesia que plantó, el Templo Ángelus, son ejemplos históricos de gente llamada y enviada a servir a la ciudad donde Jesús les colocó e ir de esa ciudad e ir a la localidad en que se encuentran y a otra tierras.

El Dr. Ray Bakke hace un resumen de los múltiples desafíos que la iglesia del siglo veintiuno enfrenta en un mundo que está siendo urbanizado rápidamente; pero quizás el desafío más significativo es el de la inmigración y la misionología resultante enfrentando a la iglesia americana del siglo veintiuno (Bakke 1997, 13). Parece que muchos de los otros asuntos enfrentados por la Iglesia en el contexto urbano, son agravados por la creciente diversidad de gente en una ciudad.

Este es un desafío verdadero para la iglesia americana, pero el impacto es aun más intenso a causa del aislamiento general del "resto del mundo" que ha sido la experiencia de la mayoría de americanos por generaciones. El prospecto de que el mundo se está mudando a las ciudades de Los Estados Unidos, ha creado un desafío que muchas denominaciones americanas, líderes de iglesias, pastores, y congregaciones no han estado en capacidad de enfrentar satisfactoriamente:

> *La frontera de la misión se ha invertido. La mayoría de los no-cristianos del mundo no serán pueblos geográficamente distantes, sino culturalmente distantes; que frecuentemente habitan juntos entre las sombras de las estructuras urbanas en las áreas metropolitanas de cada continente (excepto La Antártica, por supuesto)* (Bakke 1997, 13).

De hecho, la diversidad de las poblaciones del mundo es cada vez mayor en las ciudades de todo Los Estados Unidos. La iglesia americana se está dando cuenta de que el lujo de vivir una vida monolingüe y el aprendizaje de otros idiomas sólo para una preparación universitaria, la estaba colocando en una desventaja visible de evangelización y entrenamiento a medida que sus vecindades cambiaban para parecerse más al mundo.

Además, la iglesia americana se dio cuenta de que hay otros asuntos importantes que van más allá de la adquisición idiomática y la traducción. La iglesia no ha sido bien equipada para darle la bienvenida a culturas desconocidas y otros medios menos obvios, pero también esenciales, por los cuales las buenas nuevas del evangelio deben ser comunicadas. En Los Ángeles, la familiaridad con entidades tales como *Taco Bell* y *El Pollo Loco* y celebraciones como la del *Cinco de Mayo,* llevaron falsamente a muchos americanos a pensar que entendían a sus vecinos que en su mayoría vivieron o vinieron del hemisferio sur. El rico tapiz cultural de naciones donde se habla el español se ha perdido para muchos angelinos.

Al final parecía como si, casi de un día para otro, las poblaciones hubieran cambiado una y otra vez a medida que una persona se mudaba y otra tomaba su lugar. Para muchas congregaciones, debido a las razones ya citadas, la única respuesta razonable o posible de algunos líderes y congregaciones en la iglesia americana fue vender sus propiedades urbanas y reubicarse en los suburbios donde sus congregantes ya se estaban mudando.

Estas realidades estaban comenzando a ser ciertas en Los Ángeles a comienzos del siglo veinte, y la hermana McPherson las vio, las entendió y, lo que es más importante, desarrolló una eclesiología y misionología para alcanzar a los muchos inmigrantes y gente viviendo en Los Ángeles. Ella no esperó a que su vecindario cambiara. Por el contrario, invitó a toda la gente al Templo Ángelus, les sirvió, y proveyó ministerio y oportunidades para que otros pudieran servir. Ella también fue a los vecindarios donde estas personas vivían, hacían compras, y trabajaban. Con gran respeto por la comunidad de habla hispana, encontró formas de comunicarse tanto en el templo como el vecindario, usando el español y siendo sensible a la cultura (predominantemente mexicana en este tiempo) y así alcanzarlos para Jesús.

Una Eclesiología para la Iglesia Misional

La Iglesia Misional, definida como el pueblo llamado y enviado de Dios, debe tener las "características de una eclesiología misional fiel" (Guder 1998, 11) que identifica a la iglesia local y su congregación como comprometida a la *missio Dei*, la misión de Dios. Una congregación misional verdadera tendrá una eclesiología que al final gobierna la forma en que esta piensa y se comporta sirviendo fielmente como comunidad llamada y enviada por Dios. Darrell L. Guder resume cinco características de tal eclesiología:

1. Una eclesiología misional es bíblica. Lo que uno cree sobre la iglesia necesita ser encontrado y basado en lo que la Biblia enseña. Es en la Biblia que uno descubre la misión de Dios que nace por el amor de Dios y es expresada en justicia, compasión y rectitud. Es en la Biblia que uno descubre la intención de Dios de formar un pueblo para cumplir esta misión en la historia.

2. Una eclesiología misional es histórica. Tomamos seriamente el contexto cultural e histórico de la iglesia al formar nuestra eclesiología. La iglesia es rica en sus expresiones culturales mundiales. La Iglesia, creada y construida por Jesús, está diseñada para incluir a toda la gente.

3. Una eclesiología misional es contextual. La iglesia se encarna y sirve dentro de un lugar y tiempo en particular. Las buenas nuevas son "traducidas dentro de la cultura" y el "pueblo de Dios es formado en esa cultura en respuesta a la palabra traducida y facultada por el Espíritu."

4. Una eclesiología misional es escatológica. La iglesia es "dinámica" y se mueve hacia la última revelación del Señor Jesucristo, cuando él regresa por su pueblo. La iglesia está creciendo en su entendimiento de Dios y su obra. Deben desarrollarse nuevas estrategias para alcanzar a nuevas generaciones de personas. Las técnicas de comunicación deben ser aprovechadas de tal manera que el evangelio pueda ser proclamado efectivamente alrededor del mundo. La iglesia misional mantiene su ciudadanía en otro lugar (lea Filipenses 3:20), es extranjera y extraña en tierra ajena (lea 1 Pedro 2:11), ¡y la iglesia quiere ir a su hogar!

5. Una eclesiología misional puede ser practicada, esto es: puede ser traducida a la práctica. La función básica de toda teología es equipar a la iglesia para su llamado... una ecle-

siología misional sirve a los testigos de la iglesia al "*hacer discípulos a todas las naciones... enseñándoles que guarden todas estas cosas que yo [Jesús] os he mandado*" (Mateo 28:19-20) (Guder 1998, 11-12).

La iglesia que Jesús está edificando sirve a la misión que él ha modelado para nosotros en su encarnación: un pueblo llamado y enviado para llevar las buenas nuevas a un mundo en pecado. Esta misión requiere el desarrollo de ministerios y de servicio comunitario basado en una eclesiología que se encuentra en la biblia. Esta eclesiología será fiel a la biblia, sólida en la corriente de teología histórica, sensible al dar y recibir de la cultura, e invitará a la iglesia a aguardar el regreso del Señor mientras redime el tiempo haciendo discípulos. Dios honra y bendice la obra de su pueblo que sirve en esta misión. El les ha dado que hacer en sus comunidades y alrededor del mundo.

Una Pastora y una Iglesia Distintivamente Misionales en Los Ángeles

La hermana McPherson fue una líder misional, y plantó y pastoreó el Templo Ángelus, una iglesia distintivamente misional. Su fidelidad a la palabra de Dios y su ministerio extensivo como evangelista, desarrolló en ella una pasión de predicar la Palabra de Dios en maneras que podían ser escuchadas y entendidas (lea Romanos 10:14). La hermana McPherson entendió su llamado e interpretó las experiencias de su ministerio a través de las páginas de la palabra de Dios.

El lugar de la palabra de Dios en la vida de la hermana, como el fundamento de su ministerio, le permitió incluir en su visión a todas las personas de la ciudad, y como resultado guió el desarrollo y ministerio del Templo Ángelus. Algunos de sus mejores sermones fueron "predicados" por la congregación al distribuir libremente los recursos del departamento de suministros mientras ella se aseguraba, a través de la plantación de iglesias, que las ciudades, pueblos y vecindades tuvieran una comunidad de fe y una iglesia local que les sirviera.

La claridad con la que ella entendió el ministerio terrenal de Jesús como "Salvador, Bautizador con el Espíritu Santo, Sanador y Rey Venidero" resumió aptamente su ministerio y proveyó un punto de identificación y afiliación para el Cuerpo de Cristo. Definido de esta manera, el "Evangelio Cuadrangular" es predicado y creído por cristianos de muchas afiliaciones independientes y denominacionales, y esto continúa siendo un punto de compañerismo.

El corazón del evangelio es la declaración de que ¡Jesús fue levantado de los muertos y vive por siempre! Cuando el ministerio histórico de Jesús es ligado a Hebreos 13:8, *"Jesucristo es el mismo ayer, y hoy y por los siglos,"* todos los que tienen cualquier necesidad, encuentran que sus expectativas y esperanzas se mueven del registro histórico del ministerio de Jesús, al ministerio actual de Jesús, del momento en que viven. ¡Jesús sana y perdona hoy! El ministerio misionero, evangelístico y pastoral de la hermana McPherson le permitió ver cómo Jesús y su evangelio penetraban a la gente mientras vivían sus vidas y como su toque las transformaba.

Como pastora, la hermana McPherson, adquirió experiencias útiles a través de sus viajes como misionera y evangelista. Como predicadora de la palabra de Dios eterna e inmutable, ella había visto la manera en que esta palabra eterna e invariable se adaptaba entre gente diferente. Rápidamente aprendió que el objetivo de predicar era hablar para ser escuchada y entendida (lea Romanos 10:14), y esto demandaba que ella encarnara la palabra de Dios para quienes la escuchaban. El Templo Ángelus fue otro ejemplo de este compromiso de encarnar localmente a través de su alcance, de tal manera que la gente de Los Ángeles pudiera ser servida por la pastora, el liderazgo, y la congregación.

La unión de la iglesia local y la capacitación formal para equipar a pastores, evangelistas, y misioneros en el Templo Ángelus y la Misión Mexicana McPherson, ligó dinámicamente a la ortodoxia y la ortopraxia. El estudiante siempre es un ministro del evangelio, y el ministro debe permanecer siendo un estudiante a través de sus años de servicio. El legado histórico de la hermana McPherson y el Templo Ángelus es firmemente establecido: Juntas, la pastora y la congregación, buscaron hacer discípulos de las naciones alrededor de ellos, comenzando en su Jerusalén—la comunidad de Echo Park de Los Ángeles.

La hermana McPherson era apasionada en cuanto a enviar hombres y mujeres al servicio vocacional de tiempo completo. Es impresionante que, en medio de todo lo que estaba sucediendo el domingo de dedicación del Templo Ángelus, ella estaba más emocionada acerca del futuro de los jóvenes *"quienes esperan recibir entrenamiento para la obra de evangelismo"* (A. S. McPherson 1923, 545-546). Este es, quizás, uno de sus legados más grandes: su compromiso con la iglesia local como lugar de encuentro con el Cristo levantado y viviente quien cambia por siempre el destino de hombres, mujeres, y niños que vienen a él.

Sin embargo, para la hermana McPherson venir a Jesús no era suficiente; estas personas transformadas debían reunirse en una comunidad llamada iglesia. Es aquí que estos conversos se transformaban en discípulos y donde eran entrenados formal y prácticamente para ser enviados a servir a Jesús en sus dones y llamamiento. Estos líderes, al ser enviados alrededor del mundo, servían con su mirada puesta en lo alto y con un oído afinado para escuchar el sonido de la trompeta del cielo, porque sabían que Jesús, como Rey Venidero, ¡venía por Su novia!

Resultados de Compasión en Obras de La Misión de Jesús

Es posible estar ocupado con la actividad misional y no preocuparse por aquellos que se benefician de la misma. En Los Estados Unidos, cada día, hay hombres y mujeres piadosos, que cuando van de camino a un trabajo importante o, quizás incluso a la iglesia, corren hacia el necesitado, el que se encuentra solo y al desposeído. Al mismo tiempo, es posible hacer buenas obras por obligación y sin ninguna conexión con quienes se está sirviendo. Para la hermana

McPherson, era imposible decir que uno era compasivo sin hacer la clase de actividades que demuestren que a uno le importa. En otras palabras, las buenas obras no requieren compasión, pero la compasión siempre resulta en buenas obras de la misión de Jesús.

La Iglesia Cuadrangular debe hacer que las buenas obras de compasión vuelvan a ser de alta prioridad como en los días de su fundación. La compasión era la fuente de todas las actividades misionales y ministerio del Templo Ángelus. La hermana McPherson se preocupaba por la gente que llamaba a Los Ángeles su hogar, sin importar su relación con el Templo Ángelus o Jesucristo.

Lección de un Hombre que Nació Ciego

El apóstol Juan nos relata el encuentro que Jesús y Sus discípulos tuvieron con un hombre que nació ciego (lea Juan 9). Los discípulos, en vez de ser movidos a compasión por el hombre ciego debido a su pérdida y dolor, se involucraron en una discusión teológica y filosófica de la causa de su ceguera. Esencialmente, el asunto era a quien se debía culpar: al hombre o a sus padres (lea Juan 9:2). Jesús y los discípulos estaban lo suficientemente cerca de este hombre como para fijar fácilmente su atención en él, sin embargo, los discípulos hablaron en voz alta sin ninguna preocupación aparente de que ese hombre pudiera escucharlos o, si podía escucharlos, como esa discusión podía haberle afectado (lea Juan 9:8).

Cuantas veces la iglesia, mientras examina el dolor, sufrimiento, esclavitud, y desesperación en sus comunidades, busca entender la causa o resolver el problema. ¡Qué fácil es para la iglesia preocuparse más por cómo la persona contrajo SIDA de lo que se puede hacer para ayudar a esa persona! En una ciudad, uno se acostumbra a conversaciones sobre "causas" del "problema de aquellos sin hogar," pero raramente encuentra una conversación centrada en lo que se puede hacer por ellos. La iglesia, a veces, es incluso experta en usar la biblia para acallar el cuidado compasivo del hambriento. Uno podría preguntarse sobre cuánta gente no ha sido servida porque un creyente tenía poco entendimiento del corazón de Dios por la gente o porque un creyente malentendió la exhortación del apóstol Pablo a la iglesia en Tesalónica: *"Si un hombre no trabaja, que no coma"* (lea 2 Tesalonicenses. 3:10) como significado de que un cristiano nunca debería alimentar a la gente hambrienta desempleada.

Tristemente, la iglesia puede ser vista y oída como los discípulos en Juan 9. No siempre nos hemos movido a ser compasivos por el menor y menos favorecido entre nosotros para aliviar al sufrido y traer sanidad al enfermo y quebrantado. Con frecuencia, la iglesia habla y debate a oídos del sufrido, del hambriento y el perdido.

Esta falta de compasión no era el caso con la hermana McPherson y el Templo Ángelus, pues resistieron la tendencia de atribuir la culpa y, en cambio, fueron movidos por la compasión. El resultado fue una amplia cadena de ministerios que buscaban dar cuidado a todos los aspectos de la vida humana y necesidad. Los equipos de oración eran regularmente enviados a la comunidad; se desarrolló un departamento de suministros para servir a todos los que tenían necesidad de alimento y ropa; se plantaron nuevas congregaciones llevando a un buen pastor y una iglesia local saludable a la comunidad; y regularmente se programaban servicios de sanidad donde la gente era liberada de todo tipo de enfermedad y esclavitud.

Una teología misional es más que un sistema de creencias: Una teología misional bíblica debe ser vista y experimentada a través de las vidas de los congregantes y el ministerio de la iglesia local. Y, aunque a comienzos del siglo veinte el compromiso a una teología misional y eclesiología distintivas había sido compartido por muchos pastores fundamentalistas, evangélicos y pentecostales en Los Ángeles, el ministerio de la hermana McPherson era extraordinario a causa de la facilidad con que ella y el Templo Ángelus vivían su teología misional y eclesiología entre las comunidades que conformaban a Los Ángeles. Toda la gente, sin importar su fe religiosa o membresía en la iglesia, era bienvenida, y todos recibían gratuitamente del Templo Ángelus y del Señor Jesús.

Capítulo Siete

Aimee Semple McPherson fue Llamada por Dios a Predicar la Palabra de Dios a Mundo Separado por Barreras Culturales y Raciales

AIMEE SEMPLE MCPHERSON amaba a la gente, amaba servir a la gente y amaba hablarles acerca de Jesús. Por lo tanto, la congregación del Templo Ángelus habría tenido la oportunidad de seguir su guía en cuidar y servir, y lo hicieron de maneras esperadas e inesperadas. Una manera esperada en la que el Templo Ángelus cuidó y sirvió fue a través del ministerio entre la gente de habla inglesa; los residentes de raza blanca de Los Ángeles. El Templo Ángelus fue movido a un ministerio inesperado cuando comenzó a cuidar y servir a la gente inmigrante y grupos idiomáticos diversos, especialmente a la gente de habla hispana de Los Ángeles.

Actualmente, para una iglesia no es inusual ejercer el ministerio intercultural en su comunidad. De hecho, el pastor americano o evangelista del siglo veintiuno ha sido impactado profundamente por el pluralismo, globalización, inmigración diversa en Los Estados

Unidos, comunicaciones mundiales inmediatas, y la facilidad relativa del viaje global; además, no es fácil entender cuan diferente la vida y ministerio intercultural habrían sido vistos a principios del siglo 20, a medida que una pastora y su congregación de raza blanca y habla angla, comenzaba a alcanzar intencionalmente a la comunidad de habla hispana.

Como ocurre hoy, la primera parada de las personas recién inmigradas era a menudo el hogar de la persona que les había invitado o respaldado, y éste hogar estaba situado usualmente en una comunidad de inmigrantes compañeros. Había poco sentido de balcanización; es decir, unirse a una comunidad ya establecida donde el idioma y la cultura de la nación de origen son conservados a tal grado que se toma la decisión de resistir la asimilación dentro la cultura americana predominante. De hecho, la asimilación era el objetivo deseado en estos años, pues la gente se había mudado lejos de estas comunidades de idioma distintivo, mientras tenían hijos y aprendían inglés por sí mismos. Estos inmigrantes se dieron cuenta que podían ser americanos mientras disfrutaban y conservaban aspectos de sus culturas, celebraciones, e idiomas de sus naciones de origen. Había grandes ventajas en ser bicultural y bilingüe en los negocios, la comunidad, y en el ministerio. Sin embargo, el hecho sigue siendo, que la entrada a Los Estados Unidos era más fácil a medida que estos nuevos inmigrantes se agrupaban en comunidades muy unidas, donde compartían una historia, una cultura, un idioma, y el sentido común de la familia.

Hoy en día, uno puede conducir alrededor de Los Ángeles, y ver la evidencia de algunas de las primeras comunidades inmigrantes distintivas de Los Ángeles: Ciudad China, Ciudad Japonesa, (ej. Pequeño Tokio), Ciudad Filipina, Ciudad Tailandesa, Pequeño México (Ej., Calle Olvera), y la Ciudad Coreana. Hoy, los armenios rusos, armenios libaneses, taiwaneses, nigerianos, chinos, varias naciones centroamericanas y muchos otros inmigrantes están desarrollando comunidades similares en la gran ciudad de Los Ángeles.

El Llamado Personal de Aimee de Servir a Jesús

Es notable, a la luz de las realidades de su día, que la hermana McPherson y la congregación del Templo Ángelus le dieran la bienvenida a la comunidad de habla hispana de Los Ángeles al término de dos años del nacimiento de la iglesia. Lo notable fue que ella sabía quién era en Cristo y lo que había sido llamada a hacer para Él y su reino. El evangelismo y ministerio personal eran expresiones del llamado personal de la hermana McPherson. Las salvaciones, sanidad y liberación que la gente experimentó eran expresiones de la gracia de Dios, a medida que ella servía con los dones que Dios le había dado. Éste llamado no era sólo para servir a la gente de raza blanca o idioma anglo sino "a las naciones." (A. S. McPherson 1923, 13).

Imagínese lo que estaba sucediendo en el corazón y mente de esta joven de diecisiete años mientras Dios hablaba las palabras de Jeremías 1:4-9 a sus "oídos atónitos," ordenándola para predicar la palabra de Dios:

Vino, pues, palabra de Jehová a mí, diciendo, "Antes que te formase en el vientre te conocí, y antes que nacieses te santifiqué, te di por profeta a las naciones. Y yo dije: ¡O Señor Jehová! He aquí, no sé hablar, porque soy niño. Y me dijo Jehová: No digas: Soy un niño; porque a todo lo que te envíe irás tú, y dirás todo lo que te mande. No temas delante de ellos, porque contigo estoy para librarte, dice Jehová. Y extendió Jehová su mano y tocó mi boca, y me dijo Jehová: He aquí he puesto mis palabras en tu boca." Cuando tenía diecisiete años de edad, el Señor habló estas palabras claramente a mis oídos atónitos, un día, mientras estaba sola orando en mi habitación. Fue un tiempo solemne cuando él me ordenó para predicar el Evangelio. (A. S. McPherson 1923, 13).

El corazón de la hermana McPherson sentía dolor por los perdidos sin importar donde vivieran, quienes eran, o cual era la naturaleza de su circunstancia personal. Los perdidos necesitaban al

Salvador Jesucristo y esta jovencita había sido llamada por Dios para proclamar a Jesús. Ella estaba comenzando a entender lo que significaría servir a Jesús como evangelista:

> *Un anhelo intenso, proveniente del cielo de ser una ganadora de almas para Jesús nació del Espíritu dentro de mi alma. El había hecho tanto por mí… Oh, aquí estoy, Señor, envíame. Tal carga por las almas es la mía que estaría dispuesta a arrastrarme sobre las manos y las rodillas desde el Atlántico hasta el Pacífico sólo para salvar a una pobre alma perdida— "Querido pecador, Jesús te ama"* (A. S. McPherson 1923, 52, 53).

Aimee Semple McPherson Amó y Abrazó A un Mundo Diverso Antes de Amar y Abrazar a la Comunidad de Habla Hispana en Los Ángeles

La Iglesia Pentecostal Americana del siglo veintiuno está acostumbrada a la creciente diversidad étnica, cultural y lingüística de nuestra nación. Las grandes ciudades de nuestro mundo siempre han sido un imán para los inmigrantes y por lo tanto, un lugar de idiomas, colores, y culturas. La inmigración (tanto legal como ilegal), el pluralismo cultural, y como algunos comentaristas han sugerido, la balcanización de grupos de gente en Los Estados Unidos en el siglo veintiuno han creado tanto oportunidades sorprendentes para el cuidado, ministerio, y evangelismo como tremendos desafíos sociales, económicos y relacionales. Está llegando a ser cada vez más evidente que las predicciones son ciertas: Los *"historiadores futuros registrarán al siglo veinte como el siglo en el cual el mundo entero se convirtió en una ciudad inmensa"* (Cox 1966, 273).

Esta predicción podría parecer ser una exageración salvo que las estadísticas de población y migración, más nuestra experiencia colectiva ¡nos dicen que es verdad! Hobbs y Stoops escriben que:

> *A partir del año 1910 al 2000, la población metropolitana creció casi en 200 millones de personas, con el aumento más*

grande, 33.3 millones, ocurriendo desde el año1990 al 2000. Las zonas metropolitanas reportaron una proporción cada vez mayor de la población de los Estados Unidos durante el curso del siglo. En 1910, menos de un tercio (28 por ciento) de la población total vivía en zonas metropolitanas, pero para 1950, más de la mitad de la población de los Estados Unidos vivía en zonas metropolitanas. En el 2000, la población metropolitana representó el 80 por ciento de un total de residentes en Los Estados Unidos de 281.4 millones de personas. (Hobbs y Stoops 2002, 33).

Su estudio continúa, "*desde 1990, más de la mitad de la población de los Estados Unidos ha vivido en zonas metropolitanas de por lo menos 1 millón de personas*" (Hobbs y Stoops, 34).

La realidad demográfica actual de Los Estados Unidos es que somos en gran parte urbanos según lo definido por la residencia de la población, visión global, los contextos educativos o de empleo de sus vidas. Esta misma tendencia urbana se está experimentando en todo el mundo. Las Naciones Unidas reportan que:

El siglo veinte ha sido testigo de un crecimiento demográfico extraordinario. Durante este siglo, la población del mundo aumentó de 1.65 mil millones a 6 mil millones, y experimentó ambos el índice de crecimiento demográfico más alto (un promedio del 2.04 por ciento por año) durante finales de los sesenta, y el incremento anual más grande de la población del mundo (86 millones de personas cada año) a finales de los 80... El siglo veinte ha sido testigo del crecimiento de centros urbanos y concentración de la población en zonas urbanas. Se espera que la mitad de la población del mundo sea urbana antes del 2006. Las aglomeraciones urbanas gigantes están llegando a ser más numerosas y más grandes en tamaño. (Naciones Unidas1999, 1).

Aimee Semple McPherson también encontró una comunidad

heterogénea al vivir en Los Ángeles en las primeras décadas del siglo veinte. La ciudad de Los Ángeles no era entonces tan diversa como lo es en el siglo veintiuno, pero era tan diversa como se esperaría que fuera una ciudad global en su día. Los Ángeles era ya una ciudad donde muchos idiomas eran hablados, como el censo regular lo confirmó. Aunque estos números son ciertamente bajos dada la dificultad de encontrar, contactar, y entrevistar a las poblaciones inmigrantes debido a cuestiones idiomáticas y de confianza, había cientos de millares de individuos de habla hispana que vivieron en Los Ángeles entre 1920 y 1940. La gráfica 4 compara las clasificaciones del idioma entre varias poblaciones de Los Ángeles desde 1920 a 1940.

Gráfica 4.

Clasificaciones Idiomáticas entre las poblaciones de Los Ángeles.

	1940	1930	1920
Inglés y Céltico	2,506,420	3,097,021	3,007,932
Alemán	1,589,040	2,188,006	2,267,128
Jídish	924,440	1,222,658	1,091,820
Sueco	423,200	615,465	643,203
Noruego	232,820	345,522	362,199
Italiano	1,561,100	1,808,289	1,624,998
Francés	359,520	523,297	466,956
Español	428,360	743,286	556,111
Ruso	356,940	315,721	392,049
Polaco	801,680	965,899	1,077,392

Fuente: Censo de Los Estados Unidos marzo 9 de 1999.

Cada uno de estos idiomas representa más que sólo un idioma materno. Esta diversidad también representa una variedad de culturas, tradiciones, visión global, y aspiraciones que vienen con los inmigrantes de muchas naciones geopolíticas donde estos idiomas eran hablados. Cuando uno agrega esas culturas e idiomas hablados por menos de trescientas mil personas, se descubre una ciudad global políglota.

La hermana McPherson estaba personalmente preparada y equipada para ministrar en una ciudad de gente diversa. Su breve tiempo de servicio como misionera en China y sus experiencias al ministrar como evangelista itinerante desde 1915 a 1922, fueron la fuente de muchos de los componentes de una teología misional en desarrollo y la praxis real de esa teología que en última instancia informó y formó su eclesiología. La hermana McPherson aprendió cómo servir a un mundo de gente al ministrar en China, Canadá, y alrededor de Los Estados Unidos.

El Ministerio Evangelístico Itinerante De La hermana McPherson: Valor y Encarnación

En los ocho años de su obra evangelística, desde agosto de 1915 en Mount Forest, Ontario, Canadá, hasta la dedicación del Templo Ángelus el 1 de enero de 1923, la hermana McPherson ministró en campañas y avivamientos importantes en Florida, Nueva York, Massachussets, Pennsylvania, California, Colorado, Maryland, Virginia Occidental, Missouri, Ohio, y muchos otros estados así como Washington, D.C. Tan impresionante como esta lista de lugares puede describir el ministerio de una mujer evangelista pentecostal, desde 1915 a 1923, este resumen simple no cuenta la historia de todo lo que el Señor hizo en ella y a través de ella:

Por siete años ella tuvo libertad máxima para desarrollar su potencial como evangelista y sanadora, y los resultados fueron asombrosos si no milagrosos. En tren y automóvil la joven predicadora cruzó Los Estados Unidos, costa a costa seis veces, e

hizo el viaje de ida y vuelta de Nueva Inglaterra a Florida dos
veces. Creemos que Aimee fue la primera mujer (con su madre
y niños) que cruzó Los Estados Unidos en automóvil sin la
ayuda de un hombre. Entre 1917 y 1923 predicó en más de
cien ciudades y pueblos, permaneciendo de una a dos noches en
ciudades como Filadelfia, Baltimore y Denver por más de un
mes… Durante el período temprano que ahora estamos consi-
derando ella probablemente enfrentó a cuatro mil diferentes
audiencias—de un puñado de transeúntes en la calle a veinte
mil en el coliseo de Denver (Epstein 1993, 95-96).

Durante esos años, sin saberlo, la hermana McPherson se hallaba
haciendo un "curso intensivo" de todo tipo en preparación para plantar el Templo Ángelus en Los Ángeles. Esta etapa de ministerio itinerante proporcionó muchas oportunidades que podían causar cierta
pausa o pregunta para una evangelista femenina de raza blanca que
viajaba a menudo con sus niños. Ella no tenía idea de cuán importante era esta etapa para su crecimiento como una líder global que
podía amar y servir a una ciudad compuesta de gente diversa.

Era como si estas oportunidades hubieran sido diseñadas por
Dios para confrontar cualquier prejuicio personal, parcialidad cultural, o elitismo teológico que hubiera sido parte de su vida, pensamiento, y, aun más importante, su teología. Estas oportunidades y
confrontaciones diseñadas por Dios, vinieron a la hermana McPherson como opciones mientras ella servía a Jesús y predicaba la Palabra
de Dios. Estas opciones eran reales e importantes; por ejemplo, un
día en Key West, ella tuvo que decidir si su llamado a predicar el
evangelio a toda la gente incluía también a los de raza negra de esa
ciudad. Esta y muchas otras experiencias la desarrollarían para llegar
a ser líder y pastora que algún día podría servir a toda la gente de
una ciudad global llamada Los Ángeles.

La Normalidad del Racismo

Una escuela de aprendizaje significativo tuvo que ver con el prejuicio y racismo de su día. Para alguien que vive en el siglo veintiuno puede ser difícil entender completamente cómo era la vida en Los Estados Unidos a principios del siglo 20, cuando había poca conversación o poco esfuerzo en curar la herida del racismo. El prejuicio y el racismo eran ampliamente tolerados en muchas partes de la nación, y el racismo incipiente se estaba institucionalizando en la ley y el orden público. A comienzos del siglo 20, el racismo era parte del acuerdo de compra cuando una casa era adquirida:

Los convenios racialmente restrictivos desempeñaron un papel principal en contribuir a la segregación residencial. En muchos casos, los propietarios blancos crearon convenios restrictivos para excluir a una persona de color de las vecindades blancas. Durante los años diez y los años veinte, los tribunales estatales mantuvieron e hicieron cumplir estos convenios raciales restrictivos. Los tribunales estatales aplicaron la cláusula del proceso correspondiente a la catorceava enmienda y la regla en contra de restricciones sobre enajenación para determinar si un convenio racial restrictivo era válido. Estos tribunales estatales sostenían a menudo que evitar que una familia negra se trasladara a una vecindad blanca no violaba la cláusula del proceso correspondiente a la catorceava enmienda o la regla en contra de restricciones sobre enajenación. Expresada simplemente, la aplicación de estos convenios raciales restrictivos forzó a las familias no-anglas a vivir en comunidades que fueron segregadas residencialmente.

Aunque la mayoría de los tribunales estatales estaban de acuerdo en que los convenios que restringían la enajenación eran nulos, algunas cortes mantuvieron los convenios que restringían la enajenación a familias no-anglas. Tristemente, algunos tribunales estatales a lo largo del país mantuvieron estipulaciones que evitaban que las familias negras vivieran en las vecindades blancas. Los siguientes casos ilustran lo que los tribunales estatales hipócritas y faltos de razonamiento usaban

para mantener los convenios raciales restrictivos. Aunque mu-
chos de los casos discutidos implicaban a litigantes afroameri-
canos, estos actos también se aplicaban a los mexicoamericanos
y otras familias de color a lo largo de los años 20, de los años
30 y de los años 40 (Ramos 2001, 258).

El ministerio evangelístico de la hermana McPherson, al que se
podría dar el término "profundamente sureño" la trajo cara a cara
con las leyes de Jim Crow y la trágica "normalidad" del racismo y
prejuicio, y la llevó a ver la desesperación económica de los pobres
y de aquellos sin derechos. Ella sabía que *si usted demostraba favo-*
ritismo, usted pecaba" (Santiago 2: 9), y el racismo y prejuicio son,
quizás, las formas más horrendas de favoritismo.

El valor humano no se puede medir por la raza, género, riqueza,
estatus social, o educación, pero estas categorías se convirtieron en
los estándares por los cuales las comunidades se juzgaban unas a
otras. Cristo murió por todos los pecadores—y por cada pecador
en particular—y ante la cruz todos somos iguales en lo que resulta
ser más importante: nuestro valor, porque Jesús murió por nosotros
y por nuestra necesidad de recibir su regalo de salvación. Por lo
tanto, ¿quién entre los hombres está calificado para juzgar a otra
persona como menos o como indigna? Tal como Santiago le recordó
a los líderes y congregaciones a quienes escribía:

Hermanos míos, que vuestra fe en nuestro glorioso Señor Jesu-
cristo sea sin acepción de personas… ¿no hacéis distinciones entre
vosotros mismos, y venís a ser jueces con malos pensamientos?
Así hablad, y así haced, como los que habéis de ser juzgados
por la ley de la libertad. Porque juicio sin misericordia se hará
con aquel que no hiciere misericordia; y la misericordia triunfa
sobre el juicio (Santiago 2:1, 3-4, 12-13).

En numerosas ocasiones, la hermana McPherson se encontró en
situaciones que requirieron que aplicara prácticamente su conocimiento en desarrollo de la misión de la iglesia y del reino de Dios

ante los desafíos y oportunidades que enfrentaba. El evangelio es para toda la gente, y se ordena a todos los creyentes que vayan y hagan discípulos de toda la gente (lea Mateo 28:19 - 20). Esta verdad puede ser fácil de leer y creer, pero la prueba viene, cuando uno debe "ir" a la gente que es diferente y tener fe en que, como Jesús envía al evangelista, él o ella está equipado (a) para hacer discípulos. ¿Pero qué hay de las ocasiones cuando uno "va" y es sorprendido por gente diferente?

El llamado a Corona, Long Island, Nueva York, y la Gente de Los Estados Unidos

Mientras la hermana McPherson estaba en oración durante una serie de reuniones en Onset Bay, Massachusetts, en 1916, el Señor trajo ante ella la palabra "corona." Ella no tenía ninguna idea de lo que significaba, aunque había estado orando por una nueva máquina de escribir y pensaba que el Señor podía estarle diciendo que iba a darle una nueva máquina Corona en respuesta a sus oraciones. Un día, llegó una carta sin firmar de una mujer en Corona, Long Island, Nueva York:

Querida hermana McPherson,

Por dos años he estado postrada sobre mi rostro ante Dios suplicándole que enviara un avivamiento a Corona.

Él ahora me ha revelado que un avivamiento poderoso y arrasador para la ciudad, será enviado a través de su ministerio. Las almas se convertirán en grandes números, los santos recibirán el bautismo pentecostal del Espíritu Santo, y se producirán milagros de sanidad a través de sus manos.

Mi hogar está abierto para usted. Su habitación está preparada. Venga inmediatamente. Esperando grandes cosas del Señor (Epstein 1993, 97).

La hermana McPherson empacó sus pertenencias y viajó a Long Island. Pronto descubrió que la dirección contenida en la carta la había llevado a un hogar situado en una vecindad "de color." La mujer que envió la invitación era negra, y aunque la hermana McPherson "*no había visto media docena de caras negras en su vida*" (Epstein 1993, 97), estaba a punto de emprender la etapa más significativa del ministerio hasta la fecha, con su base de operaciones en el hogar de una mujer negra en Corona, Long Island. Uno se pregunta, ¿cuántos evangelistas o ministros blancos del género masculino habrían respondido en 1916 de la misma forma en que lo hizo esta mujer evangelista soltera y blanca?

El apóstol Pablo, no desconocedor de las realidades del prejuicio e intolerancia entre grupos de gente, declaró que Jesucristo había unido a dos grupos antagónicos—judío y gentil— destruyendo "*la barrera*" y derribando "*el muro de enemistad*" entre ellos, creando de esta manera "*una nueva humanidad al hacer la paz*" (Efesios. 2:14 - 15). La única manera que éste milagro de reconciliación puede ocurrir es con la muerte y resurrección de Jesucristo porque "*él es nuestra paz*" (Efesios. 2:14).

El apóstol Pablo trata otra vez con este fruto de la caída del hombre, al recordarle a las congregaciones romanas que "no hay diferencia entre el judío y el gentil—el mismo Señor es el Señor de todos y bendice ricamente a todos los que claman a él, porque "*todo aquel que invocare el nombre del Señor, será salvo*" (Romanos. 10:12 - 13). Es significativo que Pablo siga esta declaración con su serie de preguntas retóricas sobre la necesidad de la gente de oír las buenas nuevas de labios de un predicador enviado a predicar (lea Romanos 10:14 - 15). La implicación es clara: un predicador no puede "ir" donde la gente está separada por barreras y muros de división.

Esta verdad fundacional de la eficacia de la obra de Jesucristo en su muerte y resurrección destruyendo las divisiones entre la gente, culturas, idiomas, género, y similares se debe haber arraigado firmemente en el entendimiento y sistema de creencias de la hermana McPherson. Si éste no era el caso, ¿qué permitió que ella tomara un riesgo social y cultural tan profundo? La hermana McPherson pasó esta primera prueba del Señor Jesús; ella podía vivir como ciudadana del reino de Dios antes que honrar su compromiso como ciudadana de una nación geopolítica o grupo definido de gente. Para Aimee Semple McPherson, ¡los muros de división social y cultural entre negros y blancos habían sido derribados por Jesús con su muerte y resurrección!

El avivamiento en Corona fue el principio de la época más celebrada y reconocida del ministerio evangelístico de la hermana McPherson. Al principio, su ministerio se realizaba predominante entre la población blanca; la muchedumbre creció con cada reunión y los reportes de salvación y sanidades milagrosas crecieron en números cada vez mayores. La hermana McPherson ministró a todos los que venían a las reuniones en Corona, y Jesús salvo y sanó a la gente sin importar su color o estado socioeconómico.

Quizás, para la hermana McPherson, ver el mover de la gracia de Dios entre los negros, los pobres, y los rechazados le causó un impacto muy similar al de Pedro quien se maravilló en su informe a los ancianos en Jerusalén sobre la conversión y bautismo en el Espíritu Santo de los gentiles:

> *Y cuando comencé a hablar, cayó el Espíritu Santo sobre ellos también, como sobre nosotros al principio... Si Dios, pues, les concedió también el mismo don que a nosotros que hemos creído en el Señor Jesucristo, ¿quién era yo que pudiese estorbar a Dios?* (Hechos 11:15, 17).

Yendo Intencionalmente al Inapreciable, al Más Bajo, Al Perdido, y el Más Pequeño

La hermana McPherson buscó ministrar intencionalmente entre poblaciones de minorías y gente pobre, aunque continuaba ministrando en los servicios grandes y predominantemente de gente blanca. Ella predicó a los blancos pobres y a los negros que trabajaban en los campos del algodón y de tabaco en el sur (A.S. McPherson 1923, 104, 113). Y ministró a los negros con un respeto y un amor profundo que era inusual para una persona blanca en Los Estados Unidos durante los inicios del siglo veinte (A.S. McPherson 1923, 116).

Este compromiso de cruzar intencionalmente las "líneas de color" que identificaban la división racial dentro de la sociedad, eran profundamente personales para la hermana McPherson, y ella lo vivió tanto en su propia vida como en su ministerio. La hija de la hermana McPherson, Roberta Star, fue bautizada por un predicador negro en una piscina bautismal al aire libre durante una de las primeras salidas del ministerio de la hermana McPherson (Blumhofer 2003, 123). Se tomó una foto del bautismo para que la familia conmemorara el acontecimiento, pero ahora se mantiene firme como un testimonio público del poder del evangelio en unir a la gente ante un racismo incipiente y dominante.

Durante los años de su trabajo evangelístico, la hermana McPherson abrazó a los "blancos rechazados" y a los "negros" que eran presa de la drogadicción (A.S. McPherson 1923, 362-363), y ella trajo esperanza y ayuda a los pobres en Wichita, Kansas (A.S. McPherson 1923, 403). La hermana McPherson tenía un impacto inusual en las comunidades gitanas alrededor de la nación, y Dios la utilizó para ministrar y traer a una gran cantidad de gitanos a la fe en el Señor Jesucristo (A.S. McPherson 1923, 399-401). Ella también ministró a la tribu india de Osage, en la cual tres jefes indios de Osage y muchos miembros de la tribu vinieron a la fe en Jesucristo (A.S. McPherson 1923, 401).

La Biblia nos cuenta de un líder joven, Timoteo, quien se halló sirviendo a una congregación diferente y diversa de personas que representaban una variedad de situaciones culturales, sociales, vocacionales, y generacionales (lea 1 Timoteo. 5:1 - 20). El apóstol Pablo continúa sus instrucciones a Timoteo con una exhortación fuertemente redactada de vivir sin prejuicio y de tratar a toda la gente sin parcialidad: "*Te encarezco delante de Dios y del Señor Jesucristo, y de sus ángeles escogidos, que guardes estas cosas sin prejuicios, no haciendo nada con parcialidad.*" (1 Timoteo. 5:21). La hermana McPherson estaba a punto de aprender si ella realmente podía servir a toda la gente con la misma dedicación como una embajadora del evangelio.

Blancos y Negros Asisten Juntos a los Servicios en Key West, Florida

La relación entre negros y blancos fue uno de los asuntos sociales más dolorosos de los años veinte, y pocos ministros negros o blancos, organizaciones cristianas independientes, denominaciones, o ministerios evangélicos encontraban maneras de cerrar la brecha permanentemente entre estas comunidades. Puede ser que sólo pocos líderes blancos tenían interés en cerrar esta brecha y sólo poco líderes negros tenían el poder de iniciar una conversación o traer cambio de importancia. No era común para los pastores blancos hablar del racismo que hervía a fuego lento dentro de sus congregaciones blancas y era a menudo expresado abiertamente en las vidas y afiliaciones personales de los congregantes. Las relaciones raciales y el pecado del racismo no eran temas comunes del día.

La hermana McPherson no fue disuadida; ella realizó consistentemente reuniones en y para la comunidad negra. La segregación y las leyes de Jim Crow hicieron las reuniones raciales inclusivas virtualmente imposibles de organizar, especialmente en el sur, y esto le preocupaba (A.S. McPherson 1923, 115-120).

Es interesante que, dado al amor de la hermana McPherson por toda la gente, y su ministerio persistente hacia todos los que necesitaban al Salvador, ella también fuera idolatrada por segmentos del Ku Klux Klan, y esto llevó a un encuentro casi increíble con el Klan en Denver. El 17 de junio de 1922, el *Denver Post* reportó que la hermana McPherson había sido "*secuestrada*" por miembros del Klan en un intento por ganarla con sus opiniones de desarrollo, que se trataban más de la "protección de mujeres y prohibición que de la supremacía blanca" (Blumhofer 2003, 188). Uno de los hombres encapuchados del Klan le dijo, "*Usted no se arrepentirá de venir. Creemos en usted y quisiéramos que usted creyera en nosotros, y con nosotros usted se encuentra tan segura como en su propia habitación*" (Blumhofer 2003, 187).

La hermana McPherson tuvo la oportunidad de hablar; ella "*desafió a los hombres a llevar vidas que se mantuvieran a la luz plena del día*" y les dijo que oraría por ellos siempre y cuando "*representaran rectitud*" y "*defendieran al indefenso*" (Blumhofer 2003, 187). Los miembros del Klan la condujeron de nuevo a su hotel, y no hubo nuevo contacto con ellos hasta su noche final en Denver, cuando un individuo encapuchado llegó a su habitación con una bolsa de dinero que había sido recogido para Roberta y Rolf.

A través de los años siguientes, la hermana McPherson tuvo encuentros ocasionales con el Ku Klux Klan al viajar de ciudad en ciudad en los años 20. Los miembros de Klan expresaron apoyo verbal hacia su ministerio evangelístico, hubo pequeñas cantidades de ayuda financiera durante la ofrenda en los servicios, y fue dada una donación para la construcción del Templo Ángelus. La hermana McPherson, como millones de americanos en su día, probablemente estaba de acuerdo con partes de los programas del Klan que tenían que ver con la seguridad para mujeres y con el patriotismo, sin embargo, ella expresó que no compartía sus opiniones racistas ni apoyaba su violencia y métodos de intimidación (Blumhofer 2003, 275-278). Esta oposición fue expresada enérgicamente una noche de 1924 en el Templo Ángelus.

Roberta, la hija de la hermana McPherson, recordó esa noche asombrosa en que centenares de hombres encapuchados del Klan entraron silenciosamente al Templo Ángelus para asistir al servicio. La hermana le pidió a Roberta y Rolf que se fueran, pero, después de dejar a su hermano a salvo en la casa pastoral, Roberta regresó y observó todo lo ocurrido desde el balcón (Blumhofer 2003, 276).

Cuando la hermana McPherson comenzaba a predicar, anunció un cambio en el tema y contó esta historia a la congregación, que incluía a un mar de hombres encapuchados del Klan:

> *Un día, un campesino negro y envejecido llegó a una ciudad sin nombre a visitar los lugares de interés. Era un domingo caluroso, soleado, y él deambuló por las calles hasta que se detuvo a la sombra de una iglesia hermosa, la más magnífica que había visto en esa pequeña ciudad rural.*

El anciano campesino negro permaneció de pie con la mirada fija en los capiteles de la iglesia que apuntaban al cielo, y su corazón se llenó de emoción al escuchar el coro que dulcemente entonaba alabanzas a Dios.

"Oh, debo entrar a esta iglesia maravillosa," se dijo a sí mismo, "y adorar a mi Maestro." Entonces, abrió la puerta muy cuidadosamente y se sentó en silencio en la última fila.

Se sentó, observando maravillado y reverente el cielo raso, los ventanales de cristal colorido y los ornamentos de oro y plata en el altar. Estaba a punto de tomar el himnario que se hallaba en el asiento a su lado.

De repente un ujier, quien vestía una capa, asió del codo al campesino anciano haciendo que se pusiera de pie. Cuando el ujier lo sacó afuera, le dijo: "Usted no puede entrar aquí. Hay una agradable iglesia pequeña de negros a una milla de camino."

"Pero yo solamente quería adorar al Señor," dijo el anciano.

"Bueno," dijo el ujier, "no intente hacerlo aquí. Usted tendrá que ir a su propia iglesia." Y con esto el ujier dio media vuelta y volvió a entrar.

El anciano negro estaba cansado. Se sentó en los escalones de piedra de esa iglesia magnífica, y por un momento se sintió muy herido por lo que había sucedido, tanto que comenzó a llorar… Justo entonces sintió el calor apacible de una mano sobre su hombro. Oyó el sonido de una voz amable pero agobiada por el desgaste. "No te sientas triste, mi hermano," dijo la voz que venía de un viajero que no parecía joven ni viejo, pero su ropa y botas mostraban el desgaste de muchos días y noches de camino. "Yo también he estado intentando entrar en esa iglesia por muchos, muchos años."

Mientras el forastero se frotaba ligeramente su sedosa barba, sus ojos se llenaban de felicidad. El campesino anciano se sintió repentinamente emocionado y consolado porque sabía profundamente en su corazón que estaba mirando el rostro compasivo de Jesucristo, el Maestro mismo.

La hermana regreso de la historia a la aplicación práctica:

Ustedes los hombres se enorgullecen en el patriotismo, ustedes hombres que se han comprometido a hacer libre a Los Estados Unidos para el cristianismo blanco, ¡escúchenme! Pregúntense, ¿cómo es posible pretender adorar al judío más grande que jamás haya vivido, Jesucristo, y luego despreciar a todos los judíos vivos? Les digo a ustedes como nuestro Maestro lo dijo, "No juzguéis, para que no seáis juzgados" (Blumhofer 2003, 276-277).

Roberta se sentó perpleja mientras su madre miraba silenciosa y fijamente a los hombres del Klan. Estos hombres se levantaron uno por uno y salieron del servicio hasta que todos se marcharon. Entonces, la hermana comenzó a predicar sobre el texto que había citado, "No juzguéis, para que no seáis juzgados" (Blumhofer 2003, 278-279). Hay una leyenda, sin confirmar históricamente, que alrededor del lago de Echo Park, cruzando la calle del Templo Ángelus, se hallaron las capas de los hombres del Klan después del servicio de esa noche.

La hermana McPherson tuvo la oportunidad de predicar su mejor sermón contra la segregación y el racismo durante su segunda serie de reuniones en Florida en 1917 y 1918. Era un sermón predicado en palabra y obra y resultó en una respuesta que raramente o nunca se había visto en el corazón del sur. La hermana McPherson continuó su sermón y tiempo de ministerio, reflexionando en el epílogo que había compartido con la congregación blanca durante una de sus reuniones en la carpa de Key West, Florida:

Mi alma estaba tan cargada por la querida gente de color que anuncié desde la plataforma pública que había cumplido con mi deber en el Señor hacia la población blanca en la isla, y debía arriesgar su descontento y desaprobación al ir ahora a los pobres de color para contarles la misma historia. Algunos protestaron, pero al ver la sinceridad y anhelo de mi corazón, casi todos acordaron ayudar, y no nos dieron un lugar más humilde para dicha reunión, sino los espaciosos terrenos que rodeaban al palacio de justicia. Entonces, comencé a visitar a la gente de color abiertamente (A.S. McPherson 1923, 118).

Jesús estaba presente en poder mientras la congregación experimentaba salvaciones, milagros, visiones, prodigios y señales. Como resultado,

Era imposible mantener a la gente blanca alejada. Por primera vez en la isla, blancos y negros asistían al mismo lugar de adoración y glorificaban al mismo Señor juntos. Arreglamos los asientos para la gente blanca hacia los lados, reservando el centro para la gente de color" (A.S. McPherson 1923, 118-119).

El evangelio y el poder de Dios derribaron los muros que separaban a la gente y proveyeron un ambiente para aprender de Dios y los unos de los otros. El impacto fue tan profundo que el concepto de *"reservar era una cosa desconocida"* para la nueva congregación integrada (A.S. McPherson 1923, 119). El poder de Jesucristo para destruir la barrera entre la gente, según la promesa de Efesios 2:11-22, fue experimentado y confirmado dramáticamente en Key West.

Una Lengua e Interpretación en Español en Florida

Las reuniones en Florida fueron extraordinarias de muchas maneras en las que el poder de Dios fue manifestado durante los servicios. Durante la reunión del 12 de mayo de 1918, en Orlando, Florida, la hermana McPherson experimentó tanto el don de lenguas como el de interpretación. Al parecer la *"lengua desconocida"* (lea 1 Corintios. 12:10, 13: 1) era el español. Annie L. Treadwell reportó:

> *En una de las reuniones de la carpa, quedé muy impresionada al escuchar a la señora McPherson hablar en español, y directamente después dar exactamente el mismo mensaje en inglés. Ella no era consciente de que estaba hablando en español, cuando se le dijo esto más adelante, estaba absolutamente sorprendida y dijo que no sabía ni una palabra en español. También la oí hablar en otros idiomas con los cuales no estaba familiarizada* (Treadwell junio de 1918, 15).

Para la hermana McPherson, fue interesante y, quizás, significativo experimentar hablar en el idioma español conocido, en esta expresión pública de los dones espirituales de lenguas. La hermana McPherson no mencionó éste milagro a través de su ministerio entre la comunidad de habla hispana en Los Ángeles como evidencia de un llamado o confirmación de su sentido de llamado. Pero, ella sí lo incluye en su libro *This Is That* (A. S. McPherson 1923, 124), y fue de sus escritos que el artículo de *Bridal Call* fue extraído.

Dios Estaba Preparando a la Hermana McPherson para Ministrar a Los Ángeles

A la luz de éstas y muchas otras experiencias durante sus años de ministerio alrededor de la nación, es absolutamente notable que la hermana McPherson y el Templo Ángelus comenzaran a ministrar a las poblaciones japonesas, alemanas, hispanas, y armenias en Los Ángeles:

> *CLASE BÍBLICA DE LOS NIÑOS ARMENIOS: En Pecan Street hay una pequeña habitación dedicada a la gloria de Dios y usada para la escuela dominical de los pequeños niños armenios. Samuel Khashmanian de la Cruzada del Templo Ángelus*

y encargado de la Casa del Señor, es el instructor... Hay tantos que no hay sitio para sentarse, pero no les importa estar de pie durante el servicio... uno de estos días esperamos tener cincuenta nuevos cruzados agregados a las filas ya imponentes de los Soldados de la Cruz (boletín del Templo Ángelus febrero 15-21 1925).

La experiencia de la hermana McPherson cruzando las fronteras idiomáticas y étnicas en sus campañas evangélicas en los años previos a su ministerio pastoral, la equiparon para identificarse con toda la gente y cuidarla con cariño sin importar su color de su piel, diferencias culturales o su estado económico. Ella creció en entendimiento, en maneras prácticas, con respecto a la misión de la iglesia y el ministerio bíblico del pastor y la congregación.

Se estaba plantando una nueva iglesia en Los Estados Unidos, pero también otras naciones geopolíticas estaban en la mira mientras la hermana McPherson y la congregación se reunían en esos primeros días. Su herencia canadiense era un recordatorio en sí misma de que la iglesia local debía orar, dar, e ir a países alrededor del mundo. En un sentido muy real, ella era misionera a los Estados Unidos, aunque había obtenido su ciudadanía cuando se casó con Harold McPherson. Probablemente, debido a las raíces canadienses de la hermana, fue que Brook Hawkins, el constructor-arquitecto del Templo Ángelus, colocó una bandera americana y una canadiense sobre los muros durante el servicio de dedicación (A.S. McPherson 1923, 542). El Templo Ángelus abrió sus puertas con las banderas de dos naciones geopolíticas exhibidas en el frente del santuario.

Este tesoro de experiencias personales, evangelísticas, y pastorales del ministerio fue fundacional para una teología misional que entendía que la iglesia de Jesucristo es mejor entendida como una comunidad llamada y enviada, y al ser enviada, la iglesia necesita ir a todo el mundo, dondequiera que ese mundo resida. La comunidad de habla hispana en y alrededor de Los Ángeles era una beneficiaria agradecida de esta profunda obra personal en el corazón de Aimee Semple McPherson.

McINTIRES EXTENDED HOME GREETING BY SPANISH GROUP

One of the most interesting and beneficial divisions of the work at Angelus Temple is the Spanish Divine Healing Class, which meets each Wednesday at one o'clock in the 120 Room preceding the regular afternoon service. This group of men and women are under the leadership of Sister Anita Hopper McIntire, who recently returned from an extended trip in the Holy Land with her husband, Brother McIntire.

THE SPANISH GROUP

a. CONVENCION —
CA del SUR de CALIFORNIA-TEMPLO "EL BUEN PASTOR"
LOS ANGELES, CAL.
MAYO 17-20, 1956

Un Reino y una Visión Global Bíblica: Una Ciudad Compuesta de Gente que Necesita a Jesús

EL LLAMADO "*¡Grita, pues el Señor te ha Dado la Ciudad!*" (A.S. McPherson 1973, 118) tenía implícito, en el llamado y el regalo, a toda la población de Los Ángeles. El Señor no le dijo a la hermana McPherson que le daba a Los Ángeles de raza blanca, Los Ángeles de idioma inglés, o a los ricos de Los Ángeles. Él le estaba dando a ella y al Templo Ángelus, que estaba a punto de ser plantado, la ciudad misma, y este regalo incluía a toda la gente que llamaba a Los Ángeles su hogar, su escuela, su sitio de trabajo, o simplemente el lugar que amaban visitar.

Aimee Semple McPherson dirigió a su iglesia nueva con una visión global en desarrollo influenciada distintivamente por sus experiencias personales como misionera y evangelista, su conocimiento y entendimiento cada vez mayor de la palabra de Dios, y su conocimiento de las realidades y responsabilidades del Reino de Dios. La consecuencia personal más práctica de esta visión global y teología misional, fue la facilidad para abrir su ministerio personal y el ministerio amplio del Templo Ángelus a las diversas poblaciones de Los Ángeles. La consecuencia pública más práctica fue la eclesiología misional que nació cuando el 1 de enero de 1923, el Templo Ángelus comenzó a ministrar.

Tanto la breve etapa como misionera en China con su primer esposo, Robert Semple, como sus experiencias durante los años de reuniones evangelísticas fueron, de hecho, las pruebas que desarrollaron en la hermana McPherson estos compromisos bíblicos y misionales fuertes. Ella había servido a tal diversidad de gente en su ministerio evangelístico y había sido extranjera en tantos lugares, que sólo esta experiencia le habría permitido sentir compasión y alcanzar a la gente menos favorecida y diferente lingüística o culturalmente en Los Ángeles; pero fue la palabra de Dios que le dijo que los alcanzara.

La bienvenida relativamente rápida de otros, además de la gente de habla inglesa después de establecer el Templo Ángelus, confirma que su visión global era mayor que la identificación de una lucha común para ser aceptada o una interpretación simplista de los pasajes bíblicos. La hermana McPherson tenía un entendimiento sólido de la esencia de la misión de la iglesia local, y podía ver a Los Ángeles como una comunidad de gente que era más compleja que las vecindades donde vivían, su empleo o estado económico, su clase social, o sus logros educativos.

Más allá de todas estas categorías, la hermana McPherson oyó los diversos idiomas de su ciudad, y podía ver las culturas, etnias, naciones de origen, trasfondos, y desafíos de asimilación de la cultura "americana" predominante. De hecho, si el Señor le estaba dando esta ciudad, esto significaba que Él le estaba dando toda la gente de esta ciudad en su diversidad y complejidad.

La Falacia De Un Uso Sociopolítico de "Raza" Como Forma Para Definir A La Gente En Una Comunidad

El libro de los Hechos narra que el apóstol Pablo se puso frente a los hombres de Atenas y declaró, "*De un solo hombre hizo todas las* naciones [πα-ν ε1θνοφ] *para que habitaran toda la tierra; y deter-minó los períodos de su historia y las fronteras de sus territorios"* (Hechos 17:26). La unidad de la raza humana es declarada claramente por el apóstol Pablo, quien revela a los atenienses que Dios ha creado esta raza unificada y sólo él ha fijado los límites de sus vidas.

Por lo tanto, cualquier noción de "razas" como grupos de individuos separados, según lo definido por sus distinciones físicas o culturales o debido a sus naciones del origen, no es cierta en el sentido más profundo de la verdad. Las diferencias evidentes entre la gente en la tierra— color de piel, características físicas, idioma, gustos y estilos—son simplemente cosméticas o culturales. Puede haber cierto valor político, y puede ser sociológica o antropológicamente provechoso identificar a individuos como miembros de una "raza particular," pero, bíblicamente, sólo hay una raza y es la de la humanidad, hombre y mujer (Génesis 1:27).

Además, la familia mundial de la humanidad tiene solamente un Padre, según lo reconocido por el profeta Malaquías: *"¿No tenemos todos un mismo padre? ¿No nos ha creado un mismo Dios?"* (Mal. 2: 10). El apóstol Pablo utiliza frases similares al escribir al liderazgo y congregación en Éfeso, y reflexiona sobre su llamado a los gentiles en darles a conocer que *"en [Jesús] y a través de la fe en él podemos acercarnos a Dios con libertad y confianza"* (Efesios 3:12). Es como si Pablo, estuviera conmovido ante la misericordia y provisión de Dios como él escribe, *"de quien toma nombre toda familia en los cielos y en la tierra"* (Efesios 3:15).

Cuando el apóstol meditó en el hecho de que este organismo misterioso de la iglesia que de hecho estaba siendo establecida—-se conformaba de dos grupos hostiles reunidos, judíos y gentiles—y que el instrumento que Dios estaba usando para alcanzarlos era nada menos que uno totalmente improbable, es decir, la cruz. . . él vio en esto una manifestación de la sabiduría de Dios, es decir, el poder maravilloso [de Dios] para reconciliar lo que parecía irreconciliable en orden de realizar su plan de gracia por la eternidad (Hendriksen 1984a, 177). Pablo no vio la separación entre judío y gentil como una separación de raza sino como una diferencia religiosa, según sus referencias de "*incircunciso*" y "*circunciso*," "*ciudadanía en Israel*," y "*extranjeros*" (Efesios. 2:11 - 12). ¡Pero alabado sea Dios; la sangre de Jesús ha cerrado la brecha y sanado la separación! (lea Efesios 2:13 - 22). La única diferencia bíblica verdadera que existe para distinguir entre los miembros de la comunidad mundial es su relación con aquel que los creó: "*¿Tienen una relación vital, viva con el Padre en la manera provista por su hijo, Jesús?*" (lea a Juan 14:6)

El Pueblo de Dios Como Una Raza Escogida

La realidad espiritual de que la humanidad está compuesta de quienes tienen una relación con Dios y los que no, es el único uso apropiado para "raza," no como una identificación de distinción entre la humanidad sino como una identificación de distinción del linaje espiritual entre una comunidad de personas. El apóstol Pedro identifica al Pueblo de Dios como γε/νοφ εθκλεκτο/ν, una raza elegida, generación o pueblo (lea 1 Pedro. 2: 9). El uso de Pedro de γ γε/νοφ, resalta la relación nueva y generacional que se crea entre creyentes a través de la fe en Jesucristo (Arndt y Gingrich 1957, 153), y, por lo tanto, describe cuál sería una nueva raza de gente: los que han sido redimidos por la sangre de Jesús a través de su muerte en la cruz. En un lenguaje que sería muy familiar para la hermana McPherson, esto significa que la única raza humana o de la familia del hombre está compuesta por dos clases o razas de gente: los salvos y aquellos sin salvación.

Es importante enfatizar que Pedro estaba describiendo la noción de "raza" en términos espirituales y como una identificación que es alcanzada por medio de la fe en Jesucristo. Aunque un uso sociopolítico de "raza" identifica categorías permanentes basadas sobre características en gran parte físicas, Pedro declara que cualquier persona puede hacerse miembro de esta nueva "raza." Esto es imposible donde la raza está determinada físicamente, pero una gran posibilidad donde la raza es determinada espiritualmente. Cualquier persona puede ser miembro de esta nueva raza de gente si tiene fe en Jesús, aquel que creó esta nueva nación (lea 1 Pedro. 1:17-21; 2:4-10).

Es maravilloso que Dios, quien creó la humanidad como varón y mujer, pueda reunir a las naciones del mundo en un nuevo hombre o, como lo describe el apóstol Pedro, una nueva raza a través de la sangre de Jesucristo. La iglesia tiene la oportunidad de proclamar esta posibilidad y está encargada de practicar lo que la Palabra de Dios enseña. La hermana McPherson vivió esta verdad en Key West, Florida, al predicar en el que pudo haber sido uno de los primeros servicios integrados en ese estado y, quizás, "profundamente sureño."

No fue conveniencia política, empatía, o compasión lo que juntó a blancos y negros en esas reuniones, sino el liderazgo y valor de una evangelista de Dios quien entendía la misión de la iglesia y cómo dar la bienvenida a la presencia y el poder de Dios. Fue una líder, la palabra de Dios, y el Espíritu Santo quien creó éste milagro en Key West, Florida.

Una Visión Bíblica de Raza y su Impacto Sobre la Misión y Eclesiología de la Iglesia

Estas dos verdades— que hay solamente una raza llamada hombre para describir al hombre y la mujer, y que Dios ha creado una nueva raza que es distinguida solamente a través de su fe individual en el Padre que la creó—invita a un abrazo y alcance a toda la gente que vive en una comunidad. El idioma, color, y cultura no sirven más como distinciones justificables que apoyan una eclesiología y estrategia misional que se dedica a una persona mientras elige, ya sea por negligencia o intencionalmente, no servir a otras en una comunidad.

Si de hecho somos una comunidad mundial creada por un Padre, y si todos juntos estamos ligados inextricablemente, entonces debemos cuidar los unos de los otros, servirnos los unos a los otros, y cada congregación debe llevar una carga por encontrar una manera de alcanzar a todos los que viven en su comunidad. Jesús trajo constantemente la vida de Dios a la gente que era rechazada en su cultura: la mujer samaritana (lea Juan 4:1 - 26), el centurión romano (lea Lucas 7:1-10), y él eligió al samaritano desdeñado para enseñar acerca de la compasión (lea Lucas 10:33).

La hermana McPherson y el Templo Ángelus podían movilizarse rápidamente para servir a la comunidad de habla hispana y muchas otras comunidades en Los Ángeles porque compartían un amor genuino y una compasión sincera por la población diversa del lugar. También tenían una comprensión bíblica clara de la misión de la iglesia de Jesucristo—una misión prevista y modelada por Jesús en el Nuevo Testamento. El Templo Ángelus estaba sirviendo la *missio Dei*, la "misión de Dios," y esta misión encuentra su expresión más conmovedora en la persona y obra misionera de Jesucristo: *"Porque de tal manera amó Dios al mundo, que ha dado a su Hijo unigénito, para que todo aquel que en él cree, no se pierda, mas tenga vida eterna"* (Juan 3:16). Este solo versículo incorpora los dos elementos de la misión de la iglesia: ser una comunidad llamada como Jesús fue llamado y una comunidad enviada como Jesús fue enviado.

Jesús llamó a los discípulos al inicio de su ministerio público (lea Mateo 4:18), y ahora profetizaba sobre ellos al declarar, *"Paz a vosotros. Como me envió el Padre, así también yo os envío"* (Juan 20:21). Hay un ejemplo similar de llamado y envío visto en la elección de los discípulos (lea Marcos 1:16-18), en el encuentro radical con Saulo, quien un día sería llamado Pablo (lea Hechos 9:15-16), y en la autoridad dada a todos los que reciben a Jesús y le siguen (lea Juan 1:12; Mateo. 28:19-20; Hechos 1: 8). El Nuevo Testamento es el expediente del ministerio de la gente llamada y enviada por Dios.

¿La Comunidad Va a la Iglesia o la Iglesia Va a la Comunidad?

En gran parte de la iglesia evangélica y pentecostal del occidente fundamental, el énfasis es hecho, con frecuencia, en la comunidad "que va a la iglesia" en vez de la iglesia (congregación) que va a la comunidad.

En el lenguaje común, "iglesia" es a menudo un sustantivo y se refiere comúnmente a un lugar, edificio, o entidad organizacional. La opinión de Jesús de la iglesia es muy diferente: Es un pueblo con un testimonio, que él está formando y edificando conjuntamente (lea Mateo 16:18, τη∴ν ε0κκλησι/αν) que es esencialmente distinto a lo experimentado o entendido por el término más familiar "sinagoga (συναγωγη; lea Lucas 7:5, Mateo. 4:23).

Si la iglesia ha de tener éxito en la carga dada por su fundador, Jesucristo, esta noción de la iglesia como un lugar o edificio al que "uno va" debe ser corregida; pues "misión" significa "envío" en lugar de "venida," y enviar o ir son temas centrales que describen el propósito de la acción de Dios en la historia de la humanidad (Guder 1998, 4). Dicho de otra manera, la misión de la iglesia debe ser la misión de Dios,

> *la cuál se deriva de la misma naturaleza de Dios… la doctrina clásica de la missio Dei de la manera en que Dios Padre envía al hijo, y Dios Padre e Hijo envían al Espíritu Santo [se] expande para incluir otro "movimiento" más: Padre, Hijo y Espíritu Santo enviando a la iglesia al mundo* (Guder 1998, 5).

Enviar o ir está en el corazón de la misión verdadera de Dios, y esta misión es lograda y realizada a través de la iglesia en el mundo. No puede sobre enfatizarse que la "*misión de Dios es llamado y envío… de la iglesia de Jesucristo, para ser una iglesia misionera en nuestras propias sociedades, en las culturas en las cuales nos encontramos*" (Guder 1998, 5). Es asombroso que Dios se revele a sí mismo como un Dios pastoral y misionero.

La hermana McPherson tenía en la visión a toda la población y, especialmente, la población de habla hispana de Los Ángeles. Consecuentemente, el Templo Ángelus se convirtió en un ejemplo magnífico de una congregación que vivió y sirvió como una verdadera congregación misional, y era un ejemplo de la iglesia que Jesús profetizó que edificaría, comenzando con sus discípulos (lea Mateo 16:18).

El "Futuro" más Importante de Ser Servido Por la Iglesia Local

La misión de la iglesia se ha descrito de esta manera: "*Hasta que el futuro del mundo sea más importante que el futuro de la iglesia, la iglesia no tiene ningún futuro*" (Invierno 1988. Esta declaración fue exhibida sobre un estandarte del simposio misionero, patrocinado por el Centro de la Misión Mundial de Estados Unidos, en Singapur, asistido por el autor). Ésta es una declaración asombrosa de la misión que debe regir cada actividad de la iglesia local. Es sorprendente que la obra evangelística personal de la hermana McPherson y su dirección pastoral del Templo Ángelus expresaban una comprensión similar de la misión en maneras múltiples.

La misión de la iglesia, dondequiera que se encuentre y en cualquier ambiente que sea plantada, debe abrazar el compromiso fundamental de que ella es la comunidad llamada y enviada a servir como misionera de Dios a este mundo que Él ama profundamente. Ésta es la misión fundacional de la iglesia: No es negociable y es el propósito que define a la comunidad de fe. Aimee Semple McPherson no negoció la misión del Templo Ángelus como gente llamada y enviada por Dios. Más bien, ella llevó al Templo Ángelus a un alcance evangelístico intercultural significativo, plantando iglesias para la gran población de Los Ángeles; particularmente la comunidad de habla hispana en esta gran ciudad.

Discípulos Equipados para Servir la Misión de la Iglesia

Los primeros creyentes en Jesús fueron llamados a seguir, confiar, creer e imitarlo a Él en todos sus caminos. Es decir que, inmediatamente después de la muerte de Jesús y su sepultura, los discípulos no fueron consolados por el hecho de tener sus palabras y enseñanzas. El se había ido, y eso era devastador para ellos (lea Marcos 16:14; Lucas 24:18-21a; Juan 20:24 - 28). Los discípulos habían comenzado su ministerio apostólico durante el ministerio de Jesús (lea Mateo 10:2,5), pero su muerte los había sacudido en lo más profundo de su ser. ¡La resurrección de Jesús de los muertos los transformó completamente para ser apóstoles (α0ποστο/λοι de α0ποστε/λλω) —-quienes eran enviados con un mensaje de buenas nuevas y una misión ordenada por Dios!

Esta misión es resumida maravillosamente por Mateo y Lucas:

Y Jesús se acercó y les habló diciendo: "Toda potestad me es dada en el cielo y en la tierra. Por tanto, id, y haced discípulos a todas las naciones, bautizándolos en el nombre del Padre, y del Hijo, y del Espíritu Santo; enseñándoles que guarden todas las cosas que os he mandado; y he aquí yo estoy con vosotros todos los días, hasta el fin del mundo" (Mateo. 28:18-20).

Entonces él abrió sus entendimiento para que comprendieran las escrituras y les dijo,

Así está escrito, y así fue necesario que el Cristo padeciese, y resucitase de los muertos al tercer día; y que se predicase en su nombre el arrepentimiento y el perdón de pecados en todas las naciones, comenzando desde Jerusalén. Y vosotros sois testigos de estas cosas. He aquí, yo enviaré la promesa de mi Padre sobre vosotros; pero quedaos vosotros en la ciudad de Jerusalén, hasta que seáis investidos de poder desde lo alto. (Lucas 24:45-49).

En una ocasión, mientras comía con ellos, les dio el siguiente mandamiento:

Y estando juntos, les mandó que no se fueran de Jerusalén, sino que esperasen la promesa del Padre, la cual, les dijo, oísteis de mí. Porque Juan ciertamente bautizó con agua, más vosotros seréis bautizados con el Espíritu Santo dentro de no muchos días. (Hechos 1:4-5).

Jesús entonces les dijo a los discípulos reunidos porqué era tan importante que recibieran éste bautismo con el Espíritu Santo:

Pero recibiréis poder, cuando haya venido sobre vosotros el Es-
píritu Santo, y me seréis testigos en Jerusalén, en toda Judea,
en Samaria, y hasta lo último de la tierra (Hechos 1:8).

La iglesia, como pueblo de Dios, está llamada a ir a todo el
mundo en el poder del Espíritu Santo como testigo y maestra que
hace discípulos, en el poder del Espíritu Santo, y en colaboración
con el cuerpo de Cristo.

Jesús Le Ordena a la Iglesia que Vaya

El texto de Mateo, conocido popularmente como la gran Comisión, tenía tal *"significado fundamental"* para William Hendriksen
que sentía que merecía un comentario sobre *"cada palabra o combi-*
nación de palabras" en su comentario del evangelio de Mateo (Hendriksen 1984b, 998). Los comentarios de Hendriksen sobre la palabra
"ir" en Mateo 28:19 son particularmente significativos a la luz del
compromiso eclesiástico y misional de la hermana McPherson:

> [Ir] *se mantiene firme en contraste a "no ir" en* [Mateo] *10:5.*
> *Está claro que el particularismo del período de pre-resurrección*
> *ahora definitivamente ha dado lugar para el universalismo…*
> *que desde el principio de la evangelización del mundo estaba*
> *incluida en el propósito de Dios. Lea también Juan 3:16;*
> *10:16. "Ir" también implica que los discípulos—y esto se man-*
> *tiene para los hijos de Dios en general—-no deben concentrar*
> *todo su pensamiento en "ir" a la iglesia. Deben también "ir" a*
> *llevar las preciosas noticias a otros. Por supuesto, no pueden*
> *"ir" a menos que "vengan" en primer lugar y a menos se man-*
> *tengan viniendo así como yendo* (Hendriksen 1984b, 999).

Hendriksen, en diversos términos, entiende que la iglesia debe
vivir y servir como comunidad llamada y enviada. La reunión de la
gente de Dios nunca tuvo la intención de ser el fin de todo su propósito y llamado. La reunión es preparatoria para ir, y, yendo, el

pueblo de Dios regresa para dar informe, alabar, celebrar, adorar, y ser entrenado para ir otra vez. Pablo y Bernabé modelaron fielmente éste balance después de su primer viaje misionero y al prepararse para emprender el segundo (vea Hechos 14:26; 15:36).

Aunque este llamado a "ir" como comunidad enviada es claro, la iglesia de Jesús en general y la Iglesia Cuadrangular específicamente luchan a menudo con prestar máxima atención y recursos en ser la comunidad llamada, mientras se presta menos atención o recursos o se ignora por completo el hecho de ser la comunidad enviada. La comunidad llamada se encuentra localmente y puede requerir un lugar de reunión mientras disfruta el ministerio y cuidado del liderazgo local y a sus compañeros creyentes. Este lugar de reunión debe acomodar a una congregación y servir en su adoración, enseñanza, compañerismo, y necesidades de celebración. Estas oportunidades y desafíos locales están siempre presentes y requieren un compromiso y administración que pueden competir con el ser una comunidad "enviada."

El mandato a "ir" tiene muchas expresiones: ministerio de alcance vocacional, ministerio de alcance congregacional, todos los tipos de esfuerzos evangelísticos, alcance intercultural, comunidad de plantación de iglesias y servicio público, esfuerzos de la iglesia simples y en hogares, y similares. El elemento que todos tienen en común es que hay personas que están siendo enviadas o salen a servir, y éste es el reto para el liderazgo pastoral que se centra más específicamente en la construcción de una iglesia local y su ministerio. Este mandato a "ir" puede ser especialmente difícil de responder o incluso justificar cuando la iglesia local está creciendo y teniendo un impacto maravilloso en su comunidad.

Tal habría podido ser el caso del Templo Ángelus y el ministerio de la hermana McPherson. El Templo Ángelus fue dedicado en 1923 solamente con el salón donde todos estaban de pie. La congregación y oportunidades de ministerio crecieron semanalmente después de esto. Es notable que la hermana McPherson estuviera entrenando a hombres y mujeres para todo tipo de ministerio público, pero específicamente para el ministerio pastoral, pues ella esperaba que sintieran el llamado a "ir" a alguna parte. Ella también desarrolló el ministerio intercultural desde 1924, y esto requirió que encontrara y desarrollara líderes que sirvieran a estas congregaciones nuevas.

El crecimiento rápido, las necesidades apremiantes y las demandas que la hermana McPherson seguramente estaba enfrentado, no la disuadieron de encontrar maneras para que su ministerio y la congregación que servía fueran a Los Ángeles y, dentro de algunos años, a otras ciudades, estados, y naciones. Si había una iglesia y pastora que habrían podido justificar el hecho de conservar líderes para el ministerio local, era el Templo Ángelus y Aimee Semple McPherson; aun así, en enero de 1925, la secretaria de la sociedad misionera del Templo Ángelus, Margaret Jordan, vio el futuro, y no estaba en inglés:

> *En Los Ángeles se ha establecido una obra entre los griegos. Entre otras de las iniciativas de la misión en casa, están las clases especiales de escuela dominical del Templo Ángelus que se han preparado para los armenios, la gente española y los japoneses. Ciertamente el Señor está bendiciendo el esfuerzo de predicar el evangelio a cada nación* (Jordan 1925, 26).

CAPÍTULO NUEVE

La Iglesia Debe Ir a Todo El Mundo en el Poder del Espíritu Santo

LA FE SALVADORA es importante, pero la fe salvadora no es suficiente para asegurar la fiel ejecución y culminación de la obra que Jesús le ha dado a su pueblo. El desarrollo del discipulado y liderazgo son obras no negociables para la iglesia. Aun así, los discípulos y líderes solamente, no derrotarán los poderes del infierno ni liberarán al oprimido. Un seguidor de por vida de Jesús, completamente formado y bien equipado, debe tener el poder de Dios y vivir una vida llena del Espíritu si espera emprender guerra espiritual, ganar batallas espirituales, derrotar las obras de oscuridad, y ver al cautivo liberado. La intención de Jesús era que sus seguidores fueran bautizados con el Espíritu Santo.

La hermana McPherson, entendió a través de sus primeras experiencias en la Iglesia, que la proclamación del evangelio y la declaración del bautismo con el Espíritu Santo deben ser predicadas juntas y debe haber la expectativa de que cada creyente experimente este bautismo. Ella recordó escuchar un sermón predicado por su futuro esposo, Robert Semple:

Él comenzó a predicar el bautismo del Espíritu Santo, declarando que el mensaje de salvación y la venida del Espíritu deben predicarse lado a lado y de común acuerdo, y que para el cristiano vivir sin el bautismo del Espíritu Santo era vivir en una condición anormal en desacuerdo con los deseos de Dios (A.S. McPherson 1923, 37).

En 1908, la hermana McPherson recibió a Jesús como su Salvador y fue bautizada con el Espíritu Santo unos días después, y fue cambiada para siempre (A. S. McPherson 1923, 45).

La evangelización del mundo ha estado en el corazón y los propósitos de Dios desde el principio del tiempo, y los evangelios notablemente concluyen con el mandato de "*ir y hacer discípulos de todas las naciones*" (Mateo 28:19), aun así es significativo que Jesús al dar este mandato a sus discípulos, ahora apóstoles, añadiera otro mandato: "esperar" antes de "ir" a las naciones. Con frecuencia, este punto queda ausente en discusiones sobre la Gran Comisión de Jesús y los éxitos o fracasos relativos de la iglesia en completar esta comisión a través de los siglos. Ésta no es una pequeña omisión, pues la comunidad llamada y enviada debe tener el poder de Dios para hacer la obra de Dios: "*He aquí, yo enviaré la promesa de mi Padre sobre vosotros; pero quedaos vosotros en la ciudad de Jerusalén, hasta que seáis investidos de poder desde lo alto*" (Lucas 24:49).

Jesús señaló que recibir el poder de Dios a través del bautismo con el Espíritu Santo era esencial para lograr el éxito en el servicio de la misión de Dios, y Él preparó a los discípulos para esta experiencia durante las horas finales antes de su crucifixión: "*De cierto, de cierto os digo: El que en mí cree, las obras que yo hago, él las hará también; y aun mayores hará, **porque yo voy al Padre**" (Juan 14:12; énfasis agregado).

Con esta declaración, Jesús comienza una de dos enseñanzas ampliadas en el evangelio de Juan sobre la persona y obra del Espíritu Santo (lea Juan 14:12-17; 16:5 -16). La declaración de Jesús de que cualquier creyente hará lo que Jesús ha estado haciendo e incluso cosas mayores se liga inextricablemente a su promesa de enviar al Espíritu Santo. En otras palabras, uno no puede hacer lo que Jesús hizo sin el poder que Jesús mismo tenía y que es dado gratuitamente en el bautismo con el Espíritu Santo.

La Obra del Espíritu Santo en la Vida del Creyente

El Espíritu Santo es la fuente y el corazón de la obra transformadora en la vida del creyente. Esta verdad se describe en términos confortantes y muy íntimos: Él es *"otro de la misma clase,"* consolador como Jesús ($\alpha 2\lambda\lambda o\nu\ \pi\alpha\rho\alpha/\kappa\lambda\eta\tau o\nu$; lea Juan 14:16); Él estará con el creyente y vivirá en el creyente (lea Juan 14:17); Él regenera y renueva al creyente (lea Tito 3:5; 2 Corintios 3:16); Él lleva al creyente a una vida santa como *"hijo de Dios* (lea Romanos 8:14) *al traer convicción de culpa al mundo"* con relación al pecado. . . justicia. . . y juicio (lea Juan 16:8 -11); su presencia en la vida del creyente da testimonio de que él es un hijo de Dios (vea Romanos 8: 9); Él es dado como un depósito ($\alpha 0\rho\rho\alpha-\beta\omega\nu\alpha\ \tau o\upsilon-\ \pi\nu\epsilon\upsilon/\mu\alpha\tau o\varphi$) *"garantizando lo que ha de venir"* (2 Corintios 5: 5), y mucho más.

La fe en Jesús establece la relación con Dios, y el Espíritu Santo confirma esto por su presencia en la vida del creyente al dar testimonio del creyente. Los discípulos experimentaron una conversión de todo tipo, que fue diferente a la de generaciones subsecuentes de creyentes, pero de la misma profundidad. Al encontrarse Jesús con sus discípulos, la noche del primer día de la semana, Él confirmó que ellos habían sido recibidos por Él y estaban en comunión con Él: *"Entonces Jesús les dijo otra vez: Paz a vosotros. Como me envió el Padre, así también yo os envío. Y habiendo dicho esto, sopló, y les dijo: Recibid el Espíritu Santo. A quienes remitiereis los pecados, les son remitidos; y a quienes se los retuviereis, les son retenidos"* (Juan 20:21-23).

Leon Morris nota que las palabras *"sobre ellos"* no existen virtualmente en todos los manuscritos existentes (Morris 1979, 846), y reconoce que *"la relación de éste regalo con el del día de Pentecostés es obscura"* (Morris 1979, 847). El contexto de los acontecimientos reportados en los evangelios de Juan y Hechos son muy diferentes, y sugieren que cada uno conlleva un propósito distintivo en la expresión de la estrategia de Dios para esa primera generación de líderes de la iglesia; además, es probable que la narración de Juan esté enfatizando que la presencia del Espíritu Santo está con los discípulos como una experiencia de conversión, mientras que Hechos y la narrativa de Lucas señalan que los discípulos, ahora apóstoles, y todas las generaciones subsecuentes de creyentes (Ej. los samaritanos [Hechos 8:4]; los gentiles [Hechos 10:24-11:18]; y los discípulos de Juan [Hechos 19:1-7]) habían sido autorizados y enviados a ir ¡a todo el mundo con las buenas nuevas de Jesús!

Jesús tuvo que volver al Padre antes de que el Espíritu Santo pudiera venir a morar en todos los creyentes como cumplimiento magnífico de las escrituras (lea Juan 7:37-39; 16:5-7; Isaías 44:3; 59:21; Ezequiel. 37:14; 39:29; Joel 2:28-29). Tan maravilloso como era que el Espíritu de Dios viviera en cada creyente, el Espíritu Santo podía también darles poder, y este era el propósito específico del bautismo con el Espíritu Santo: *"pero recibiréis poder, cuando haya venido sobre vosotros el Espíritu Santo, y me seréis testigos en Jerusalén, en toda Judea, en Samaria, y hasta lo último de la tierra"* (Hechos 1: 8).

Ahora era posible que los apóstoles hicieran todo lo que Jesús había hecho porque tenían el mismo poder que Jesús tenía cuando ministraba entre la gente. Por lo tanto, el libro de Los Hechos es titulado más adecuadamente como "Los Hechos del Espíritu Santo," puesto que la iglesia del primer siglo experimentó este poder como algo natural y a tal punto que este libro sería irreconocible sin el poder milagroso de Dios.

Aimee Semple McPherson se sentía segura como predicadora pentecostal, valiente en su proclamación de que el poder de Dios está disponible a todos los que piden ser bautizados con el Espíritu Santo (lea Lucas 11:13). Ella se aseguraba de proveer oportunidades para experimentar el bautismo con el Espíritu Santo casi en cada servicio, así como de orar para recibir sanidad, liberación, y renovación personal con el poder del Espíritu Santo. El poder milagroso de Dios era el sello de su ministerio evangelístico y pastoral. El Templo Ángelus era más que una iglesia típica; era un centro de avivamiento donde el poder de Dios podía ser experimentado, y la hermana McPherson creía que Dios quería que plantara esta nueva iglesia por esta misma razón:

> *Desafortunadamente, había pocos edificios lo suficientemente grandes donde se pudiera escuchar la Palabra de Dios en su bendecida plenitud pentecostal. Si bien había varias misiones e iglesias preciosas que predicaban el evangelio completo, "estas eran solamente una gota en el balde comparada con la necesidad"* (A.S. McPherson 1973, 118).

Para la hermana McPherson, el bautismo con el Espíritu Santo no era una cuestión de lealtad a una denominación, comunidad, o tradición, ni un simple compromiso teológico para servir como tantas otras enseñanzas en la Biblia. A los que primeramente creyeron en Jesús, se les ordenó que fueran a todas las naciones con las buenas nuevas, pero antes de que pudieran ir, se les mandó a que esperaran el bautismo con el Espíritu Santo. Entonces y sólo entonces tendrían el poder para testificar con eficacia, como escribió Juan, *"Lo que ha sido desde el principio, lo que hemos oído, lo que hemos visto con nuestros propios ojos, lo que hemos contemplado, lo que hemos tocado con las manos—esto les anunciamos respecto al Verbo que es vida"* (1 Juan 1: 1). De hecho, la vida había aparecido, y ellos estaban listos para *"atestiguar"* y *"proclamar"* a todos que escucharan de la *"la vida eterna que estaba con el Padre y que se nos ha manifestado"* (1 Juan 1: 2), pero ellos necesitaban algo más antes de que pudieran ir. Su buena voluntad y entusiasmo no eran suficientes. Jesús dijo:

> *No se alejen de Jerusalén, sino esperen la promesa del Padre, de la cual les he hablado: Juan bautizó con agua, pero dentro de pocos días ustedes serán bautizados con el Espíritu Santo. Pero cuando venga el Espíritu Santo sobre ustedes, recibirán poder y serán mis testigos tanto en Jerusalén como en toda Judea y Samaria, y hasta los confines de la tierra* (Hechos 1:4-5, 8).

Los años de ministerio evangelístico y las miles y miles de oraciones por sanidad y liberación le habían enseñado a la hermana McPherson que la obra del diablo, en su día, era tal como lo era en el primer siglo. Ella estaba convencida de que la iglesia todavía estaba llamada a ir a las naciones y, al ir, enfrentar al diablo en guerra espiritual para proclamar las buenas nuevas de Jesús. ¿Cómo podía la iglesia derrotar el diablo y testificar con eficacia sin el mismo poder que Jesús y esos primeros creyentes recibieron? La única conclusión es que la iglesia todavía debe "esperar" el bautismo con el Espíritu Santo y así recibir poder para ser testigos antes de "ir" y ser sus testigos.

La hermana McPherson no era la primera pastora o líder de finales del siglo diecinueve y comienzos del siglo veinte en entender la necesidad de ser bautizado con el Espíritu Santo. Charles Haddon Spurgeon, pastor a nivel mundial y líder de una generación anterior a la hermana McPherson, vio claramente la necesidad en su día y entendía de donde vendría la respuesta:

> *No importa en qué nivel de madurez espiritual nos encontramos, necesitamos actitudes renovadas, manifestaciones frescas, visitaciones nuevas de lo alto… Necesitamos que las ventanas del cielo sean abiertas vez tras vez sobre nuestras cabezas. Necesitamos que se nos dé el Espíritu Santo como en Pentecostés.* (Spurgeon 1887).

La Iglesia Debe Ir como Testigo y Maestra Para Hacer Discípulos

Mateo y Lucas, cada uno en su propia manera, citaron a Jesús definiendo el propósito y el trabajo de ir, el poder que infunde el que va, el mensaje a ser compartido, y a donde se ha de llevar este mensaje en el nombre del Señor Jesucristo (lea Mateo. 28:19-20; Lucas 24:47-48; y Hechos 1:8).

El pueblo de Dios, como comunidad llamada y enviada, debe predicar el arrepentimiento y perdón de pecados, siendo testigo de la vida y mensaje del Señor Jesucristo, bautizando a quienes vienen a la fe, y enseñándoles a obedecer todo lo que Jesús demanda del maestro, y ahora, del nuevo convertido. El contenido es intensamente personal y más que intelectual: Jesús ha demandado obediencia de tal modo que el pueblo de Dios viva lo que cree y sea testigo transformador del amor y la misericordia de Jesús en la realidad de su vida; vida que ha sido verdaderamente transformada por aquel en quien tiene fe— Jesús resucitado. Esta transformación es el resultado de la fe en Jesús, quien salva, perdona, sana, y libera al creyente nuevo.

¿Cómo poder describir, en forma simple, todo lo que ésta transformación significa? Quizás recordar las palabras de un padre, en el evangelio de Lucas, es la manera más conmovedora de expresar la maravilla de la salvación y restauración al describir a un hijo lo que significa tener a su otro hijo pródigo y hermano de regreso. El padre se regocija al exclamar que el hijo obstinado *"¡estaba muerto, pero ahora ha vuelto a la vida; se había perdido, pero ya lo hemos encontrado!"* (Lucas 15:32). La iglesia debe, en primer lugar, atender a la gente que está perdida y quebrantada y encontrar maneras para llevarle salvación y sanidad.

Las glorias que vienen al encontrar al Salvador son solamente el comienzo, porque Dios quiere que cada vida redimida tenga propósito y significado. Por lo tanto, el objetivo de la misión dada por Jesús a la iglesia, según el libro de Mateo, es ir más allá de sólo encontrar a un convertido y hacerlo un discípulo ($\mu\alpha\theta\eta\tau\epsilon\upsilon/\sigma\alpha\tau\epsilon$; lea Mateo 28:19). Dicho simplemente, un discípulo es un seguidor e imitador de Jesucristo de por vida que comparte su modo de pensar, expresa su corazón, y ministra con su toque. Una vez más Hendriksen ayuda a extraer el significado de Mateo y, consecuentemente, proporciona un lente a través del cual se puede entender la importancia de las estrategias del desarrollo de liderazgo de de la hermana McPherson:

"Haced discípulos" es una acción imperativa sí misma. Es un mandato enérgico, una orden. ¿Pero qué significado tiene "haced discípulos"? No es exactamente igual que "haced con-

vertidos," aunque este último mandato seguramente lo implica… el término "haced discípulos" coloca más énfasis en el hecho de que tanto la mente, como el corazón y la voluntad, deben ganarse para Dios. Un discípulo es un alumno, un principiante (Hendriksen 1984b, 999).

La pasión de la hermana McPherson por alcanzar al perdido, expresada en su tiempo como misionera en China, en su ministerio evangelístico itinerante y luego como pastora del Templo Ángelus— condujo todo lo relacionado con su vida y ministerio. Ella ordenó una piedra angular para el templo nuevo de la iglesia que decía, en parte, "DEDICADA a la causa del EVANGELISMO INTERDE-NOMINACIONAL y mundial," para asegurar fidelidad al más importante de los muchos esfuerzos esenciales en los que una congregación local debe servir.

Al mismo tiempo, la hermana McPherson sabía que, sin importar la estrategia, fe, pasión por los perdidos, compromiso con la obra de evangelismo, todo tipo de recursos, y el deseo de multiplicar a las nuevas congregaciones, uno debe tener líderes llamados, equipados, dotados, y entrenados que estén listos para servir en nuevas congregaciones y en la comunidad que rodea la iglesia. Ella vio claramente este enlace entre la "iglesia" y el "entrenamiento" y respondió estableciendo un proceso formal de desarrollo del liderazgo dentro del ADN del Templo Ángelus y, más adelante, La Misión Mexicana McPherson.

El desarrollo del liderazgo no fue algo que la hermana McPherson dejó al azar o practicó ocasionalmente. Ella sabía que la iglesia no podría realizar lo que estaba llamada a hacer si no había líderes disponibles o si eran mal equipados; por lo tanto, ella estaba comprometida a hacer su parte en ser una respuesta a la plegaria que Jesús continúa pidiendo a sus discípulos que oren:

Al ver a las multitudes, tuvo compasión de ellas, porque estaban agobiadas y desamparadas, como ovejas sin pastor. "La cosecha es abundante, pero son pocos los obreros —les dijo a sus discí-

pulos— *Pídanle, por tanto, al Señor de la cosecha que envíe obreros a su campo"* (Mateo 9:36-38).

La Iglesia Local Debe Ir en Colaboración Con el Cuerpo de Cristo

La iglesia misional siente una responsabilidad profunda de servir a cada persona dentro de la comunidad a la que es llamada, pero, al mismo tiempo, la iglesia misional siempre tiene conciencia de que la intención de Jesús nunca fue que una congregación local o una sola denominación llevara sobre sus hombros la totalidad del trabajo. La obra de Jesús, en cualquier comunidad, pertenece a todos los que creen en el Señor Jesús dentro de la misma. El cuerpo de Cristo está en el mejor lugar cuando cada expresión local de la iglesia se une a otras expresiones locales de la iglesia para orar, evangelizar, ministrar, y brindar recursos a su comunidad.

La comunidad particular de la misión [la iglesia local] es el foco central de la misión de Dios, al testificar en un entorno cultural específico. Sin embargo, no es bíblico para las comunidades particulares de la iglesia visible y organizada, existir en aislamiento la una de la otra. La particularidad no es exclusividad (Guder 1998, 248).

Hay un enlace real y eterno entre los creyentes y las comunidades de creyentes, sin importar sus afiliaciones denominacionales y énfasis doctrinal, aun así éste enlace es a menudo subestimado por ellos. La palabra de Dios es clara:

El llamado del Espíritu Santo en Pentecostés comenzó a producir lo que 1 de Pedro llama una "raza, sacerdocio, nación y pueblo" (2: 9-10), una comunidad multicultural mundial de testigos. El pueblo de Dios, en toda su diversidad cultural, puede ser entendido como una comunidad universal de comunidades. La comunidad particular es, en un sentido esencial, una expresión de la iglesia católica (Guder 1998, 248).

Este sentido de "conexión misional" (Guder 1998, 250) no ocurre por accidente o automáticamente. Tiene un comienzo en la oración de Jesús por sus discípulos en Juan 17 cuando él declaró que los había *"enviado al mundo"* (v. 18), y, como su comunidad enviada, pidió por ellos y por todos los que un día creerían en él a través de su testimonio (lea v. 20) para que *"todos sean uno" Padre... así como tú estás en mí y yo en ti"* (v. 21). La intención de Jesús es inequívoca: *"Yo en ellos y tú en mí. Permite que alcancen la perfección en la unidad, y así el mundo reconozca que tú me enviaste y que los has amado a ellos tal como me has amado a mí"* (v. 23).

Desarrollando una Conexión Misional En el Cuerpo de Cristo

La iglesia primitiva y, posteriormente la iglesia cristiana en desarrollo, llegaron a ser visibles en la comunidad como *"estructuras de conexión misional"* (Guder 1998, 250); comenzaron a testificar del evangelio y a definir la comunidad eclesiástica. Guder identifica dos procesos centrales que la iglesia cristiana primitiva y la iglesia en desarrollo atestiguaron juntas, su fe en Jesús y unidad en su servicio. En un sentido, estos procesos eran únicos en su contexto histórico, porque eran importantes para los propósitos específicos en un tiempo particular de la historia de la iglesia primitiva; sin embargo, como principios históricos, estas estructuras aún hoy pueden conectar al cuerpo de Cristo.

El Proceso de Canonización de la Escritura

Éste fue un proceso realizado por comunidades locales de fe unidas en una comunidad regional más grande. Fue tanto su voz colectiva y afirmación como *"el testimonio normativo de la escritura"* (Guder 1998, 251) lo que proporcionó un testigo autoritario al canon desarrollado. Hoy, cuando las comunidades diversas comparten una fe común en la autoridad de las escrituras, la unidad en el cuerpo de Cristo es realizada. Interesantemente, Guder entiende "*el desafío de la autoridad bíblica*" como un asunto misional y no académico (Guder 1998, 251). La iglesia no entiende generalmente la autoridad bíblica como misional, lo que podría ayudar a explicar porqué es tan difícil para los creyentes y congregaciones unirse en una comunidad.

La Formación de Doctrina y Confesiones

Las declaraciones doctrinales y de credo "*forman un tema de interés mutuo que conecta a las iglesias en su diversidad*" (Guder 1998, 252). Un compañerismo sincero, entre individuos y congregaciones, es el resultado de una ardua labor en la identificación y afirmación de lo que ha sido el esencial histórico para la ortodoxia. Las primeras declaraciones de credo— El credo de Niceno y el Credo de los Apóstoles—han sido citadas con frecuencia, como ejemplos de la unificación de declaraciones doctrinales. El cuerpo de Cristo puede unirse cuando las comunidades diversas llegan a estar de acuerdo en lo esencial de la fe y afirman juntas estas verdades mientras ponen de lado doctrinas importantes pero no esenciales.

La hermana McPherson oró y ministró con la esperanza de que la iglesia se uniera, sirviera junta, y se honraran unos a otros. Esta visión y esperanza nació al ministrar, como evangelista, a diversas denominaciones e iglesias independientes. Ella entendía que una lealtad común a la Palabra de Dios y aceptación de las doctrinas esenciales de la fe cristiana abriría la puerta de la unidad eficaz de la iglesia—una unidad al servicio de nuestra misión colectiva como comunidad llamada y enviada.

Hebreos 13:8, el Evangelio Cuadrangular, y la Asociación Cuadrangular

La hermana McPherson ministró alrededor de la nación como evangelista pentecostal interdenominacional. Su "independencia" de toda clase, su pasión por ver a la gente venir a una fe salvadora en Jesucristo, y su compromiso de guiar a la gente al bautismo con el Espíritu Santo, permitió que ella ministrara en cualquier reunión y trabajara con cualquier líder, iglesia, o denominación que también compartía estas pasiones. Ella no intentaba servir a ninguna iglesia o dogma particular sino solamente trabajar con el cuerpo de Cristo en alcanzar a tanta gente como fuera posible antes de que Jesús regresara.

Estas experiencias desarrollaron en ella un aprecio por el liderazgo y ministerios que había descubierto en la iglesia alrededor de la nación. Como resultado, siempre buscó trabajar en conjunto con congregaciones y líderes, y nunca intentó evangelizar a estas congregaciones y líderes centrándose excesivamente en las doctrinas y diferencias doctrinales que tenían poco que ver con tener una fe salvadora en Jesús. Las controversias, tales como mujeres en el ministerio vocacional, aunque interesantes, eran secundarias ante la necesidad de traer a la gente a Jesucristo.

La hermana McPherson también se opuso a discutir con sus compañeros pentecostales sobre doctrinas distintas a sus tradiciones compartidas, tales como el tiempo del bautismo con el Espíritu Santo, si las lenguas son la prueba física inicial del bautismo con el Espíritu Santo, y si la santificación es progresiva o completa en la conversión de la vida del creyente. Evitar estas discusiones causó que algunos se preguntaran si en verdad era pentecostal. Estas preguntas le dieron la oportunidad de jugar un poco con el asunto:

> *"Bien, señora McPherson, ¿es usted pentecostal?" Era la pregunta de muchos. Todo depende de lo que usted quiere decir con el término. Pentecostal significa realmente cincuenta, ¡y en aquel tiempo yo sólo tenía treinta y uno! … si por la palabra usted se refiere a lo que represento, creo, predico, y si me regocijo en el poder del Espíritu Santo, la respuesta es seguro que sí* (A.S. McPherson 1973, 111).

Capítulo Diez

Respetando y Sirviendo Al Cuerpo De Cristo

LA CAPACIDAD DE LA HERMANA McPherson, de respetar al cuerpo de Cristo, fue particularmente provechosa pues ella y el Templo Ángelus cuando comenzaron a trabajar con y entre las comunidades de habla hispana en Los Ángeles, porque requería que ella primero respetara la fe de esta comunidad en gran parte católica—eligiendo no verlos como católicos sino como gente con todo tipo de necesidad. Ella sabía que había católicos que no conocían al Salvador, pero esto no era diferente a los bautistas, presbiterianos, y muchos otros religiosos que asistían a la iglesia pero no conocían a Jesús. Este discernimiento la liberó para centrarse en esta gente como personas con necesidades y sueños, y después la guió a encontrar maneras de ministrar a sus necesidades y animarles a buscar formas de ver sus sueños hechos realidad.

Las experiencias de la hermana McPherson, como evangelista entre los necesitados y ricos, le enseñaron maneras creativas de ponerse en el lugar de otra persona, tal como Jesús lo había hecho con tanta gente, y muchas veces durante su ministerio (Ej. la mujer sorprendida en pecado, Juan 8:1-12; la sanidad del hombre poseído por demonios, Lucas 8:26-39; y su visita al hogar de Simón el leproso, antes de su crucifixión, Mateo 26: 6). Ella sabía que lo más importante era demostrarle a la gente que realmente se interesaba por ella amándola, ministrando a sus necesidades, y haciendo todo lo posible por aliviar su dolor. Esto no era sorprendente para ella, y de hecho, esperaba que el evangelismo tomara lugar al ministrar a la gente.

La hermana McPherson estaba comprometida con el cuerpo de Cristo en gran parte como resultado de su ministerio interdenominacional como evangelista (Epstein 1993, 189). Ella se maravilló en ello y estaba agradecida por la aceptación que disfrutaba entre las muchas denominaciones y comunidades. Tal aceptación también fue experimentada cuando viajó al extranjero. Ella se conmovió con la recepción que recibió en Australia en 1922, aun así, ésta era una respuesta común dondequiera que ministraba:

> *Pocos evangelistas dejaron alguna vez un campo con más testimonios de sus ministerios de los que recibí de parte de los ministros principales de las ciudades donde llevé a cabo misiones en Australia. Los Metodistas, Congregacionales, la Iglesia de Cristo, Los Presbiterianos, el Ejército de Salvación, Los Bautistas, Pentecostales y otros hombres del clérigo firmaron confirmaciones de los avivamientos en forma entusiasta* (A.S. McPherson 1973, 117).

Plantar el Templo Ángelus proporcionó una oportunidad excelente de devolver la bendición de aceptación y amor que ella había recibido de parte de líderes alrededor de Los Estados Unidos y del mundo. Desde el servicio de dedicación, la hermana McPherson, se comprometió a servir a Los Ángeles en sociedad con los pastores, líderes, y congregaciones a través de la ciudad y alrededor de la nación. Ella había sido bienvenida en sus púlpitos y ciudades, y ahora ellos eran bienvenidos en el Templo Ángelus y Los Ángeles. Ella no estaba compitiendo con otros pastores e iglesias; más bien estaba comprometida con las asociaciones interdenominacionales que bendijeran a su ciudad. Este compromiso estableció un fundamento para que un día se desarrollara una nueva clase de denominación, una comunidad interdenominacional que sería llamada la Iglesia Cuadrangular.

Un Lema que Trae Buenas Nuevas A Todos

La hermana McPherson estaba viajando a Australia en el S.S. Maunganui cuando tuvo una visión del diseño y decoraciones del Templo Ángelus. Ella dijo que se vio a sí misma sentada sola en el Templo, debajo de la cúpula, *"en un cinto ancho de oro, como un mensaje maravilloso del cielo, leí: "Jesucristo es el mismo, ayer y hoy y por los siglos"* (McPherson 1923, 535). Si había un versículo en la Biblia que era libre de sectarismo, traía buenas nuevas a todos, proveyendo una invitación a esperar grandes cosas de parte de Dios para todos los que oyen, Hebreos 13:8 era ese versículo. Jesús, el mismo de siempre y por siempre, pero especialmente el mismo de hoy, prometió:

> *Sanidad a los enfermos con el toque de su mano apacible. Los que estaban confinados a sus camas eran levantados; los afiebrados refrescados, y el niño que no podía caminar anduvo. Los torcidos fueron enderezados; el leproso limpiado por el Hombre de Galilea... ¿Pero él podría hacer esto hoy por un alma estropeada, quebrantada en la rueda de la vida? Sí, él podría, porque levantando mis ojos bebí el mensaje otra vez: "Jesucristo es el mismo, ayer y hoy y por los siglos"* (A.S. McPherson 1923, 535).

La hermana McPherson consideró la selección de Hebreos 13:8 como el lema para el Templo Ángelus:

> *El evangelio Cuadrangular significa buenas nuevas Cuadrangulares, no quería nada triste en la decoración del Templo Án-*

gelus. Cuando vino el momento de elegir el lema central que aparecería sobre la plataforma, alguien sugirió, "todos han pecado y están privados de la gloria de Dios." Pero todos sabemos eso, y de todos modos, eso no sería buenas nuevas. ¿Cuál es el corazón de las buenas nuevas? Las buenas nuevas se centran en este punto, "Jesucristo es el mismo, ayer y hoy y por los siglos." Ese versículo se convirtió en el lema escritural de la Iglesia del Evangelio Cuadrangular (A.S. McPherson 1973, 124).

Este lema fue tallado a mano sobre una placa que fuera presentada por las tribus gitanas de alrededor de la nación, quienes estaban agradecidas por lo que Jesús había hecho por ellas a través del ministerio de la hermana McPherson. Estas tribus habían viajado cruzando el continente, y algunas, ultramar para presentar el regalo de la placa que colgaría sobre la plataforma del templo recientemente dedicado (A.S. McPherson 1923, 548). Todos los que asistieron a los servicios del Templo Ángelus podían leer Hebreos 13:8 en esa placa, que sirvió como contexto para la comunión, adoración, cantos, predicación, y respuesta de la gente. En cada parte del servicio y dondequiera que estuviera la necesidad: *"Jesucristo es el mismo, ayer y hoy y por los siglos."*

El Evangelio Cuadrangular

El ministerio de la hermana McPherson fue aceptado y amado por muchas iglesias y pastores denominacionales, y a muchos de ellos, les concedió credenciales. Ella se sentía cómoda sirviendo a la misión de Jesús con sus hermanos y hermanas en el cuerpo de Cristo.

En 1919 Aimee recibió su ordenación de las Asambleas de Dios como "evangelista." Ella mantuvo estas credenciales hasta el 5 de enero de 1922... la lealtad denominacional en esos días era sumamente considerada, especialmente en círculos pentecostales y de santidad. No era ninguna sorpresa, entonces, que aunque

Aimee tenía credenciales con las Asambleas de Dios, debido a su renombre, otros también se las concedieron, incluso cuando ella misma no las buscaba. En diciembre de 1920, por ejemplo, recibió membresía en la iglesia Memorial Hancock establecida en Filadelfia, de la Iglesia Episcopal Metodista. Ese mismo día le dieron licencia como exhortadora con la Iglesia Episcopal Metodista (Robeck, 2008).

El Dr. William Keeney Towner, de la Primera Iglesia Bautista de San José, California, estaba tan agradecido por el poder de Dios evidenciado en el ministerio de la hermana McPherson, por su integridad, y por el mismo carácter de su vida que buscó que ella fuera ordenada también en su iglesia. Aimee Semple McPherson fue ordenada ministra en la Primera Iglesia Bautista el 27 de marzo de 1921, aunque la asociación bautista nunca ratificó su ordenación más allá de esta congregación local (Epstein 1993, 216).

Muchos se hicieron la pregunta: ¿Es la hermana McPherson de las asambleas de Dios, bautista, metodista, episcopal, o pentecostal? La controversia sobre su "afiliación," había sido parte de su ministerio debido a su aceptación por muchas iglesias y denominaciones, y especialmente después de su ordenación en San José, resaltó más la dificultad de definir un ministerio personal mientras servía a todas las denominaciones con pasión y su mejor interés. ¿Cómo identifica uno su ministerio y fidelidad a la Palabra de Dios sin etiquetas de sectarismo o nombres denominacionales? Tristemente, el término "cristiano" no era suficiente, así que tal vez, debía crearse un nuevo nombre o descripción.

La Hermana McPherson es Cuadrangular, y Ella Predica el Evangelio Cuadrangular

Fue durante los servicios de avivamiento en Oakland, en 1922, que la hermana McPherson se dio cuenta del poder y utilidad del término "Cuadrangular" y la frase el "Evangelio Cuadrangular" a modo de resumir el ministerio de Jesús el día de hoy como Salvador,

Bautizador con el Espíritu Santo, Sanador, y Rey Venidero para identificar el enfoque y pasiones de sus avivamientos evangelísticos, y como punto de identificación mutua y colaboración con y para el gran Cuerpo de Cristo:

> *Fue en el avivamiento de Oakland que el concepto del evangelio "Cuadrangular" penetró mi corazón. No había estado totalmente contenta con los nombres pentecostal o evangelio pleno, aunque había utilizado ambos términos en el encabezamiento de la revista Bridal Call… No intento ofender a ningún lado sino mantener la vida y doctrina en línea con la Palabra. Tomo la mano del que arde con fuego y pasión y la pongo en la mano del que se encuentra frío y muerto, de esta manera, levanto con la Palabra y el Espíritu al sano, dulce, poderoso, humilde, balanceado, a la posición de ganar almas* (A.S. McPherson 1973, 110).

El término "Cuadrangular" también tenía significado en el lenguaje de los días de la hermana McPherson, como hoy—que cualquier persona o cosa que es "Cuadrangular" sería vista como "inflexible, segura, firme, franca y directa" (Nuevo diccionario Webster del Siglo Veinte 1983, 725). Así, que el término "Cuadrangular" era más que un dispositivo mnemónico útil para recordar y describir los aspectos esenciales del ministerio de Jesús. También representaba el ministerio de Jesús, establecido firme e inflexible frente a los pretenciosos, y algo con lo que se puede contar y también confiar.

Además, la hermana McPherson quiso ser entendida claramente, ante a las acusaciones de grupos pentecostales más tradicionales, que de alguna manera, ella se había apartado de un compromiso completo al bautismo con el Espíritu Santo que autorizaba al pueblo de Dios para el servicio en su generación. "*No estoy avergonzada de ser llamada Pentecostal. Pero para mí el término Evangelio Cuadrangular describe mejor el ministerio de Jesucristo que me emociona proclamar*" (A.S. McPherson 1973, 111).

La frase "Evangelio Cuadrangular" se convirtió en la identificación por escogencia de la hermana McPherson para su ministerio y la doctrina que proclamaba. Y, a medida que su ministerio creció, ella descubrió que los líderes y congregaciones habían adquirido el término para sí mismas. El "Evangelio Cuadrangular" se convirtió en la manera que algunas denominaciones y las comunidades identificaban su asociación con el Templo Ángelus y permanecían en unidad con relación al ministerio esencial de Jesucristo como Salvador, Bautizador con el Espíritu Santo, Sanador, y Rey Venidero.

La Asociación del Evangelio Cuadrangular

La frase "Evangelio Cuadrangular" fue diseñada para ser utilizada por cualquier persona o congregación que creía y proclamaba el ministerio cuádruple de Jesucristo como Salvador, Bautizador con el Espíritu Santo, Sanador, y Rey Venidero, y había un gran número que lo hacía alrededor de la nación. Por lo tanto, era comprensible, que la hermana McPherson intentara formalizar esta relación como sociedad para la obra del evangelio y para fortaleza y aliento mutuo. La "Asociación del Evangelio Cuadrangular" fue puesta en marcha durante la semana de avivamiento de Oakland en 1922:

> *Durante la última semana de la campaña, se llevó a cabo una conferencia de ministros en la cual la "Asociación del Evangelio Cuadrangular" fue organizada con el fin reunir a ministros y obreros laicos de varias iglesias evangélicas en compañerismo y cooperación para fomentar la causa del evangelismo en la tierra… las sesiones de la conferencia son llevadas a cabo en la Iglesia Episcopal de la Trinidad. Setenta y cinco ministros denominacionales y evangelistas estaban presentes al pasar lista el primer día, y el número crece en cada sesión* (A.S. McPherson 1923, 482).

Los resultados de estas reuniones históricas fueron notables, el primer día, "hubo más de mil firmas en la declaración de doctrina y propósito contenidos en el Evangelio Cuadrangular de aquellos que se comprometían a su causa en sus iglesias" (A.S. McPherson 1923, 482). Éste es interdenominacionalismo en su expresión absoluta, y vemos en este compromiso mutuo la afirmación de esas *"estructuras de conexión misional"* fundamentales que Guder identificó (Guder 1998, 250). De hecho, estas estructuras son diferentes porque el canon de la escritura es completo; aun así, cuando este grupo de líderes denominacionales y no denominacionales declararon a las escrituras como su autoridad de gobierno y se comprometieron a estas doctrinas—Jesús como Salvador, Bautizador con el Espíritu Santo, Sanador, y Rey Venidero— ellos experimentaron una nueva dimensión de unidad en medio de sus posiciones doctrinales diversas y una sociedad que era misional.

Templo Ángelus: Base Central de Una Asociación Interdenominacional

El establecimiento del Templo Ángelus debe verse a la luz del ministerio denominacional sólido de la hermana McPherson y la fundación de la Asociación del Evangelio Cuadrangular a sólo meses del servicio de dedicación del 1 de enero de 1923. En ese tiempo, no había denominación Cuadrangular, y el Templo Ángelus no era una iglesia denominacional. Más bien, el Templo Ángelus era un centro de avivamiento, cuya pastora era un evangelista pentecostal con un ministerio que había sido puesto a prueba por líderes en el Cuerpo de Cristo, hallándolo verdadero. Ésta era una nueva clase de iglesia, y se convertiría en la base central de un nuevo movimiento de líderes y de congregaciones.

Al acercarse la fecha del servicio de dedicación del Templo Ángelus, se enviaron invitaciones a los pastores y líderes que habían participado o habían concurrido a cualquiera de los avivamientos de la hermana McPherson alrededor de la nación, para que fueran parte de una convención de pre-dedicación y servicio de dedicación.

Una convención de dos semanas fue programada para la apertura del Templo Ángelus, con ministros de todo el país —Me-

todistas llenos del Espíritu, Bautistas, Congregacionalistas, Hermandad Unida y otros habían participado en nuestras campañas evangelísticas—quienes compartieron el púlpito conmigo (A.S. McPherson 1973, 125).

Esto ocurrió el 1 de enero de 1923, y el Templo Ángelus estaba a punto de ser dedicado. El ministerio de la hermana McPherson estaba bien establecido y era de tanto renombre, que una congregación de más de cinco mil personas—capacidad del edificio—se hizo presente para el servicio de dedicación. El desbordamiento de gente que quería ser parte del servicio era tan grande, que el Departamento de Policía de Los Ángeles tuvo que enviar oficiales para dirigir a la muchedumbre, pero aún con la presencia policial, el tráfico de Glendale Boulevard y Park Street se detuvo totalmente.

Miles de personas se habían reunido para celebrar a Jesucristo y comprometerse con el Evangelio Cuadrangular, no la Iglesia Cuadrangular o el Templo Ángelus. La base central de la Asociación Cuadrangular era una congregación pentecostal local dirigida por una evangelista pentecostal interdenominacional. Ahora ya había los medios para que la Iglesia en Los Ángeles trabajara junta para servir a la gente de su ciudad.

El Templo Ángelus: Dedicado a Servir a la Misión con el Cuerpo de Cristo

La hermana McPherson marchó por el pasillo central de la iglesia junto a metodistas, bautistas, hermandad unida, y ministros congregacionales quienes estaban *afirmados sólidamente en la Palabra poderosa de Dios... y la causa del Evangelio Cuadrangular* (A.S. McPherson 1923, 546). Estos líderes, la mayoría de quienes también habían participado en la conferencia del pre-servicio, modelaron en su misma presencia y participación en el servicio de dedicación, el compromiso que habían hecho con sus firmas. Y como testimonio duradero a la misión de esta nueva iglesia, la piedra angular decía, en parte: "DEDICADA a la causa del EVANGE-

LISMO INTERDENOMINACIONAL y mundial." Hoy en día, esta frase permanece sobre la piedra angular del Templo Ángelus.

¿Por qué Dios Bendice el Ministerio del Templo Ángelus?

Cuando la gente preguntaba por qué Dios bendecía tanto al Templo Ángelus, se hubiera sorprendido al oír a la hermana McPherson decir que, en su opinión, una de las razones principales del favor diario de Dios era el interdenominacionalismo:

> *INTERDENOMINACIONALISMO—Esa es la palabra, la llave al maravilloso derramamiento total. Reunidos aquí, en este templo magnífico, uno se olvida de que es un bautista y su vecino, un metodista, y más allá hay un presbiteriano y por allá un luterano. Las barreras denominacionales parecen ser olvidadas, todas las vallas caen y, con los ojos llenos de lagrimas ante la cruz del calvario, las manos alcanzan por instinto a otras manos que se entrelazan firmes en el amor de una causa común, alabando al Señor que tienen en común* (A.S. McPherson 1923, 562).

La invitación extendida a pastores y congregaciones independientes o sin afiliación por la Asociación Cuadrangular, para que se unieran a la Iglesia Cuadrangular, fue también importante para la comunidad hispana:

> *La noche del sábado pasado, el Rev.Charles W. Walkem ofició en una reunión especial de la gente mexicana en la Misión Mexicana McPherson en Los Ángeles. Los ministros mexicanos de todas las denominaciones estaban presentes e impresionados favorablemente con los servicios y el movimiento… el hermano Walkem anunció un servicio especial de ordenación en el cual los predicadores mexicanos que han establecido obras independientes y desean afiliarse con la Iglesia Internacional del Evan-*

gelio Cuadrangular serán ordenados con la Cuadrangular ("La Misión Mexicana delinea planes grandes para el futuro," *Foursquare Crusader* 23 de septiembre de 1931, 3).

Este compromiso y sentido de pertenencia con el Cuerpo de Cristo, así como el deseo de la hermana McPherson de trabajar junto con la comunidad de fe más grande en la obra del Reino de Dios, continúa siendo de gran valor en la Iglesia Cuadrangular el día de hoy. En el año 2006, el Dr. Jack Hayford, quien fuera presidente de la Iglesia Cuadrangular entonces, y la Junta Directiva de la Iglesia Cuadrangular, dieron los pasos pertinentes para restablecer la Asociación Cuadrangular, y la primera fase de esta oportunidad para la asociación con el cuerpo de Cristo fue puesta en marcha ese mismo año. En un llamado a la oración para pastores y líderes de La Iglesia Cuadrangular, el Dr. Hayford escribió:

Hay razones vastas y llenas de propósito e históricamente responsables para la iniciación de la Asociación Cuadrangular. Pidamos que cada uno de nosotros abrace su propósito con comprensión completa al reafirmar nuestro llamado como gente "interdenominacional" con identidad denominacional clara e inafectada por el separatismo sectario (Hayford 2007).

Hoy en día, hay denominaciones que están comprometidas a asociarse con el Cuerpo de Cristo, pero parece que no hay otras denominaciones o comunidades que fueran fundadas sobre tal compromiso, lleno de propósito al Cuerpo de Cristo para impulsar la causa de Cristo. La Iglesia Cuadrangular, a través de su historia, ha continuado ejerciendo este valor, desde la congregación local al alcance internacional de misiones así como también a través de sus universidades e institutos de entrenamiento. Este compromiso con el evangelismo mundial e interdenominacional, está inmortalizado en la piedra angular del Templo Ángelus, y es uno de los continuos legados de la teología misional y eclesiología de Aimee Semple McPherson.

La Universidad Bíblica L.I.F.E.: Un Centro de Entrenamiento Cuadrangular e Interdenominacional

Este compromiso con la sociedad interdenominacional fue evidenciado cuando la hermana McPherson estableció una facultad calificada del Cuerpo de Cristo para que se uniese a ella en el entrenamiento de líderes nuevos. El instructor más conocido y famoso fue el predicador metodista Dr. Frank Thompson, quien editó la Biblia de Referencia Thompson. El Dr. Thompson se había retirado de la Iglesia Metodista de Rochester, Asbury, en 1923 y se trasladó a California, uniéndose a la facultad del Instituto Evangelístico y Misionero de Echo Park (más adelante Universidad Bíblica L.I.F.E) en 1924. Agradecida por la sociedad del Dr. Thompson, la hermana McPherson le dio el título de "decano honorario." Además del Dr. Thompson, la Dr. Lilian Yeomans, doctora en medicina, tenía credenciales de las Asambleas de Dios, y Harriett Jordan, quien era presbiteriana, fue nombrada como decana de los estudiantes (Blumhofer 2003, 255-257).

Capítulo Once

Haciendo Discípulos: El Valor de un "Equipo de Granja" para El Discipulado de la Iglesia Local

EL BÉISBOL PROFESIONAL ha popularizado el concepto de equipo de granja quizás como el componente más significativo del desarrollo de los jugadores profesionales de béisbol. Como resultado, todos los equipos de deporte profesional han desarrollado su propio sistema de equipo de granja o adoptado sistemas ya existentes como su equipo de granja.

En cierto modo, la hermana McPherson había descubierto la fortaleza y beneficios que resultan al desarrollar y mantener un "equipo de granja" como parte de su estrategia de desarrollo del liderazgo. Ella sabía que el Espíritu Santo daba dones espirituales a la congregación, pero recibirlos no era suficiente; las personas capacitadas tenían que convertirse en discípulos. Como pastora, la hermana McPherson se comprometió al trabajo pastoral *"para preparar al pueblo de Dios para la obra de servicio, de tal manera que el Cuerpo de Cristo fuera edificado"* (Efesios 4:12). Equipar o preparar al pueblo de Dios requería de un proceso, entrenamiento, práctica, y envío a servir en alguna función.

Es aquí que esta noción de "equipo de granja" llega a ser importante. Pensando en el béisbol: Es en el estudio del juego y en la práctica de las habilidades de los jugadores que la competencia, excelencia, y una serie más amplia de habilidades se desarrollan y, como resultado, se obtiene seguridad. De la misma manera, los discípulos se desarrollan cuando se les enseña sobre la iglesia, el cuidado pastoral, el ministerio, y la palabra de Dios. Ellos crecen en sus capacidades y excelencia mientras "practican" en las áreas de su don espiritual, y crecen en seguridad al ver el fruto de su trabajo, recibiendo confirmación de parte de líderes y colegas.

La hermana McPherson no sólo pensaba en hacer discípulos adultos, al desarrollar ministerios en el Templo Ángelus. Era sorprendente que, cuando los niños asistían a sus clases de acuerdo a sus edades, no iban a una clase de educación cristiana o escuela dominical tradicional; más bien, los niños del Templo Ángelus eran inscritos en el departamento de niños de la Universidad Bíblica L.I.F.E. Los premios por asistencia del departamento de niños en 1935 tenían el título:

TEMPLO ÁNGELUS
DEPARTAMENTO DE NIÑOS DE L.I.F.E.
AIMEE SEMPLE McPHERSON, Presidente

La hermana McPherson fue sabia en conectar tres componentes críticos de un proceso eficaz de discipulado: El Templo Ángelus como centro de avivamiento dinámico con muchas oportunidades para servir; la Universidad Bíblica L.I.F.E. como "instituto local" y componente clave para el entrenamiento formal de discípulos; y un proceso intencional que incluyó el envío de discípulos-congregantes y de estudiantes de la Universidad Bíblica L.I.F.E. como parte del ministerio del Templo Ángelus. El resultado de este proceso triple fue el discipulado de millares de niños, de hombres, y de mujeres a partir de 1923 hasta la defunción de la hermana McPherson en 1944.

El Equipo de Granja de Béisbol Profesional

El objetivo más inmediato de cualquier equipo de granja profesional eficaz es desarrollar a jugadores nuevos y/o jóvenes de modo que estos jugadores un día encuentren un lugar en las "Grandes Ligas." La medida de éxito o fracaso del equipo de granja es simplemente discernir: ¿Están los jugadores siendo desarrollados y entregados al equipo de la Liga Nacional de Béisbol con el talento necesario puesto a prueba para ganar juegos constantemente y en última instancia, un campeonato? El equipo de granja es un éxito cuando produce a los mejores jugadores nuevos de la Liga Nacional de Béisbol. Si el equipo de granja no produce a los mejores jugadores nuevos posibles, deben hacerse ajustes en el sistema.

Producir excelentes jugadores nuevos para un equipo, es el resultado final de un sistema que se diseña para realizar los puntos fuertes mientras se identifican y se tratan las debilidades del jugador. Para hacer esto, el equipo de granja debe contar con:

1. Un programa eficaz de exploración y reclutamiento para reunir a los mejores jugadores en potencia para su entrenamiento. Es aquí que el "don" es reconocido y los jugadores con talentos únicos son identificados.

2. Cierto tipo de proceso de evaluación para determinar el nivel de habilidad y necesidades del jugador. Dejando a un lado su don, cada jugador está en una etapa de desarrollo diferente, así que las habilidades y necesidades se deben determinar antes de la asignación a una liga de la granja o equipo de granja en particular.

3. Algún proceso, como resultado de la evaluación, por el cual el jugador puede ser asignado a la liga y equipo de granja apropiados donde recibirá entrenamiento experimentado para cubrir sus necesidades y realizar sus puntos fuertes. Esto incluye adiestramiento en los detalles específicos de su po-

sición, entrenamiento en los aspectos principales y estrategia del juego, y situaciones reales de béisbol para probar su forma de pensar y sus habilidades. Estas situaciones de juego, proveen las oportunidades para recibir ayuda "justo a tiempo" y la aplicación de lo aprendido en el pasado.

4. Algún método de promoción a las "Grandes Ligas," porque, después de que se ha dicho y hecho todo, esta es la meta del equipo de granja de béisbol eficaz.

El Don Debe Ser Desarrollado y Los que Tienen Talento Deben Practicar

Interesantemente, cuando el sistema de granja funciona bien, los aficionados solamente ven el talento del jugador de las grandes ligas. Un aficionado dirá que, "el jugador es un atleta con talento. Tiene el don para jugar a este juego." De hecho, la pirámide de millones de niños y niñas que juegan en una liga pequeña, comparada con los pocos cientos de individuos que juegan béisbol profesional se halla increíblemente inclinada, y el "talento" es el calificador singular para llegar a las grandes ligas. El talento por sí solo, no es suficiente, más bien, se requiere de miles de horas de trabajo, práctica, y entrenamiento para jugar béisbol a nivel profesional.

La contribución singular del sistema de granja al béisbol profesional, es desarrollar al jugador que tiene un "don reconocible" para jugar el juego; sin embargo, sin este desarrollo, el don nunca será todo lo que puede ser o, peor, languidecerá, sin tener nunca la oportunidad de ser utilizado como se había planeado. En pocas palabras: El don se debe desarrollar, y la persona con el talento debe practicar.

El Equipo de Granja del Liderazgo de la Iglesia Local

Obviamente, hay muchas diferencias en el propósito y enfoque de un equipo de granja de béisbol profesional y un sistema de granja del liderazgo de una iglesia; pero así como el objetivo más inmediato de cualquier equipo de granja de béisbol profesional eficaz es desarrollar un día jugadores nuevos y/o jóvenes para jugar en las "grandes ligas," de la misma manera, el objetivo más inmediato de un equipo de granja del liderazgo de la iglesia local debe ser encontrar, desarrollar, y entrenar a discípulos y líderes nuevos para ser una respuesta más a la oración de Jesús en Mateo 9:37-38— ¡La iglesia local que envía a otro obrero a la cosecha del Señor! ¡Para el individuo espiritualmente dotado, éstas son las grandes ligas!

El equipo de granja puede proporcionar un marco de trabajo para pensar en cómo la iglesia local puede desarrollar discípulos y líderes nuevos. Para hacer esto, la iglesia local se beneficiaría por un proceso que proporcione:

1. Un método para la identificación y el reclutamiento de líderes maduros y dotados.

2. Medios por los cuales se pueda hacer una evaluación exacta de las habilidades, dones, puntos fuertes y necesidades del líder en prospecto.

3. Tutoría personal, enseñanza centrada en la necesidad y entrenamiento para realzar los puntos fuertes y fortalecer los débiles.

4. Entrenamiento (formal e informal) y experiencias basadas en la realidad acompañadas por adiestramiento y retroalimentación para proporcionar ayuda y desarrollo de habilidades "justo a tiempo."

5. Una vez que se ha entrenado y equipado, proveer la posibilidad de un nombramiento para servir en un ministerio que exprese mejor la voluntad reveladora de Dios para la vida de esa persona.

Desde Aquí, Usted Puede llegar Allá:
Un Equipo de Granja en Acción

La hermana McPherson conectó tan estrechamente al Templo Ángelus, la Universidad Bíblica L.I.F.E. y los ministerios de alcance de la iglesia, que era fácil pasar de ser un convertido en la iglesia a ser un estudiante de la universidad bíblica. De cierto modo, casi se esperaba que uno se inscribiera en la Universidad Bíblica L.I.F.E. porque ésta era vista como más que un centro de formación para ministros o líderes vocacionales en el ministerio. La Universidad Bíblica L.I.F.E era la cobertura para el proceso educativo completo del Templo Ángelus. Cuando se inscribía a un niño en cualquier clase del departamento de niños del Templo Ángelus, cualquier reconocimiento o certificado indicaba que este niño asistía a un departamento de la Universidad Bíblica L.I.F.E. ("El Instituto Internacional del Evangelismo Cuadrangular es dedicado a Dios y a la enseñanza de su Palabra," *Bridal Call Foursquare* febrero 1926, 20).

Lo mismo era cierto para todos los ministerios de adultos. La facilidad con la que uno podía involucrarse en el entrenamiento formal y ministerio práctico como parte de la vida congregacional y cotidiana, hizo el reclutamiento de líderes nuevos mucho menos problemático y mucho más natural. Cada congregante era parte de la Universidad Bíblica L.I.F.E. si asistía a una clase de escuela dominical, estudio bíblico semanal, o evento de entrenamiento. De muchas formas, la Universidad Bíblica L.I.F.E. proporcionó otro nivel de enseñanza para los adultos de la iglesia.

Fue durante la participación en estas clases o eventos que el llamado, don, y habilidad de una persona era fácilmente obvia al liderazgo de la iglesia y, como tal, podía ser evaluada por ellos.

Las iglesias recientes están reportando interés en los grupos de estudiantes que están cantando y predicando el evangelio en los diversos servicios que conducen. Junto con su estudio de la Biblia, esta experiencia práctica es beneficiosa para los estudiantes pues les da confianza y equilibrio para el trabajo en la plata-

forma cuando estén más equipados para entrar al campo ("Vida en L.I.F.E.," *Bridal Call-Crusader Foursquare* 5 de diciembre de 1934, 10).

El equipo pastoral y los estudiantes ministraban juntos, así que había una distancia muy corta entre asistir a una clase y el entrenamiento para el ministerio vocacional. En el Templo Ángelus, los elementos del desarrollo del liderazgo, tales como identificación de una persona con dones de liderazgo, reclutamiento del líder en desarrollo, evaluación, entrenamiento, y tutoría mientras el líder asistía a clases y servía en la congregación, y muchas oportunidades para la experiencia práctica, estaban ligadas a medida que la gente asistía a los servicios y eventos. El resultado final era un proceso de discipulado y desarrollo del liderazgo que resultaba usualmente en el nombramiento a un ministerio en el Templo Ángelus, servicio en una de las iglesias nuevas, plantar una iglesia, o ir como misionero(a) a otra nación.

Suposiciones que Matan el Desarrollo del Liderazgo En la Iglesia Local

La hermana McPherson pudo no haberse dado cuenta de esto, pero ella estaba confrontando ciertas suposiciones que, incluso en su día, intentarían matar el desarrollo del discipulado y liderazgo y garantizarían en última instancia que el Templo Ángelus disminuyera en tamaño e influencia. Estas suposiciones continúan en la iglesia de hoy, y deben ser confrontadas y corregidas:

1. Suposición: Estamos haciendo discípulos fielmente y tenemos suficientes pastores, líderes, plantadores de iglesias, y misioneros para hacer la obra que necesita ser lograda.

   Hecho: No tenemos el número suficiente de discípulos y líderes para las oportunidades ministeriales existentes así como para las necesidades presentes y futuras del liderazgo y la iglesia. Debemos hacer discípulos y líderes en la iglesia local.

2. Suposición: El reclutamiento de nuevos líderes proveerá una solución de largo plazo.

   Hecho: El recurso de candidatos calificados que podrían estar disponibles para el liderazgo en la iglesia es pequeño, y una vez se agote, no hay nadie más a quien reclutar. La multiplicación no puede depender en el reclutamiento de líderes, porque el reclutamiento no proporciona una solución de largo plazo. Debemos encontrar a nuestros líderes en la cosecha, discípulos que son formados en la iglesia local.

3. Suposición: El entrenamiento formal teológico/ministerial por sí mismo es suficiente.

   Hecho: Estamos demasiado confiados en el entrenamiento formal para el servicio como requisito previo y necesario para tener éxito en hacer discípulos y reproducir líderes e iglesias. La mejor educación, estudio y reflexión no producirán, de por sí, a un discípulo o líder que ministre en la iglesia existente o que plante iglesias nuevas. Debemos unir el aprendizaje, la práctica y la experiencia a la formación teológica y entrenamiento ministerial formal.

4. Suposición: El desarrollo del liderazgo, el crecimiento de la iglesia, y la plantación de iglesias logrados por la adición de personas es suficiente.

   Hecho: La iglesia está perdiendo el ritmo, con relación al crecimiento de la población, los cambios demográficos y los cambios culturales de nuestro mundo. Debemos redoblar esfuerzos para hacer discípulos, multiplicar los líderes que reproducen líderes, y multiplicar las iglesias que plantan iglesias entre toda la gente que vive en una comunidad.

5. Suposición: Los líderes del mañana son los cristianos de hoy.

Hecho: Debemos levantar líderes *de* la cosecha. Con frecuencia, el discipulado comienza antes de que uno venga a la fe en Cristo al ser guiado, convencido y animado por el Espíritu Santo, pero la seriedad del asunto comienza en la conversión. Por lo tanto, quizás los mejores procesos de desarrollo del liderazgo comienzan cuando vemos a los perdidos como nuestros líderes futuros, luego los ganamos para Jesucristo, haciéndoles discípulos, y movilizándolos para servir en el ministerio vocacional (Logan y Cole 1992-1995, 1-5,6).

El desarrollo del discipulado y liderazgo era el trabajo esencial del Templo Ángelus. El compromiso personal de la hermana McPherson e inversión de sí misma y su tiempo, el ministerio dinámico del Templo Ángelus, y más adelante, el aprendizaje formal proporcionado por el Instituto de Entrenamiento Evangelístico y Misionero por la Universidad Bíblica L.I.F.E., contribuyeron a un equipo de granja que trató eficazmente con cada una de estas suposiciones. Como resultado, se produjeron centenares de líderes nuevos que servían en iglesias locales, plantaban iglesias, y se comprometían al ministerio intercultural en Los Estados Unidos y en todo el mundo.

Lo que era verdad para el desarrollo del liderazgo de habla angla, era igualmente verdad para el desarrollo del liderazgo de habla hispana; por lo tanto, la Misión Mexicana McPherson nació con La Escuela Bíblica prometiendo el desarrollo futuro de discípulos y líderes. La Misión Mexicana McPherson y cada iglesia Cuadrangular de habla hispana se comprometieron a hacer discípulos y a desarrollar líderes que fueran enviados a la cosecha.

Tanto entonces como hoy, la realidad es que el discipulado es la obra esencial del liderazgo de una iglesia local (lea Efesios.4: 11), y se convierte en el fundamento sobre el cual se desarrolla y finalmente se establece el liderazgo. El peso y la responsabilidad del liderazgo en el Cuerpo de Cristo no pueden sostenerse por un discipulado que no está formado completamente.

La Iglesia Local es el Lugar Donde los Talentosos Crecen Juntos en Cristo

Las "grandes ligas," para el discípulo de Jesús y para el líder emergente, es hallar y cumplir la voluntad de Dios para su vida y encontrar una expresión de sus dones, habilidades y pasiones. Un equipo de granja de liderazgo de la iglesia puede ayudar al discípulo de Jesús a discernir cuál es la voluntad de Dios para su vida, proporcionar un proceso para desarrollar esos dones dados por Dios, y ayudarle a encontrar su lugar en la obra de Dios.

A medida que la iglesia local busca ser la respuesta a la oración de Jesús en Mateo 9:37-38, el equipo de granja puede proveer un suministro continuo de líderes, disponibles para que Dios los llame y envíe al ministerio vocacional de la iglesia local o interculturalmente. Este es el buen trabajo de un pastor-maestro (lea Efesios 4:11-12), y es el regalo que una iglesia local saludable y productiva puede dar a su comunidad.

Discipulado y Ministerio de Habla Hispana

El desarrollo intencional de discípulos y líderes en el Templo Ángelus contribuyó de manera importante a los ministerios de alcance a comunidades diferentes a las de habla angla; pero especialmente a los esfuerzos centrados en ministrar con y a la comunidad de habla hispana en Los Ángeles. Los discípulos de Jesús piensan y responden como él lo hace, y Jesús ama a toda la gente en Los Ángeles. Este desarrollo eficaz de discípulos ayuda a explicar porqué la congregación y liderazgo del Templo Ángelus alcanzaría tan fácilmente a toda la gente en Los Ángeles e intentaría encontrar un lugar para ellos bajo la cobertura del Templo Ángelus.

El desarrollo intencional de discípulos, junto con el liderazgo pastoral dirigido por el Espíritu Santo, creó nuevas oportunidades para el servicio. A medida que la hermana McPherson se involucraba más en su ministerio personal a la comunidad de habla hispana, ella abría puertas para que otros se unieran. En cuestión de meses, la Universidad Bíblica L.I.F.E. ofrecía una clase de español para todos los estudiantes nuevos que no se habían graduado de la secundaria ("Gran apertura del Período de Otoño en el Faro de Evangelismo Internacional Cuadrangular," *Bridal Call Foursquare* septiembre 1927, 35), y los estudiantes de la Universidad Bíblica L.I.F.E. plantaban iglesias de habla hispana o se unían a equipos de plantación de iglesias en español ("Comienzan campañas en carpas," *Foursquare Crusader* junio 27 de 1928, 5). El liderazgo profético y creativo de una pastora abrió el camino de servicio para su congregación.

Los discípulos se reproducen, y "dan a luz discípulos similares." La teología misional y eclesiología de aquel que discipula será inevitablemente reproducida en el discípulo. Esta reproducción es claramente vista en el discipulado de los pastores B.N. Cortés y Antonio Gamboa y la fundación y desarrollo de la Misión Mexicana McPherson. Esta congregación de habla hispana, bajo el liderazgo de los pastores Cortés y Gamboa, nació con el mismo ADN espiritual encontrado en la hermana McPherson y el Templo Ángelus:

Muchos de los convertidos mexicanos deseaban asistir a L.I.F.E pero había numerosos obstáculos que los prevenían de venir. Además, muchos de ellos hablaban poco inglés y no podían recibir la instrucción dada en la escuela bíblica. Justo antes de que la hermana McPherson se embarcara para el Oriente, ella le dio instrucciones a la Srta. Harriet Jordan, decana de L.I.F.E para comenzar una rama mexicana de la Institución Cuadrangular de Entrenamiento Bíblico. Las órdenes fueron cumplidas y en el plazo de dos semanas hubo una apertura magnífica… y cuarenta y siete [estudiantes] respondieron al primer llamado. La semana siguiente, doce nombres nuevos fueron agregados a la lista y cada semana llegaban otros ("La Escuela Bíblica. La Escuela Bíblica Mexicana," *Bridal Call Foursquare* abril 1931, 10).

Aunque el Templo Ángelus y la Misión Mexicana McPherson servían a culturas diferentes y ministraban en idiomas diferentes, ganaron a los perdidos para Jesucristo, dirigieron a los convertidos al bautismo con el Espíritu Santo, y desarrollaron a estos convertidos llenos del Espíritu en discípulos. La salud y dinámica espiritual de estas congregaciones locales, el entrenamiento formal que proporcionaron, y las oportunidades para servir dentro de la iglesia y en la comunidad, fueron los componentes esenciales que contribuyeron a la formación de discípulos bien equipados *"para la obra de servicio"* (Efesios 4:12).

Produciendo Fruto Duradero—Juan 15:16

Entre los años 1925 y 1944, el ministerio del Templo del Ángelus y la Universidad Bíblica L.I.F.E. celebraron a 3.209 graduaciones (Briones 2007), en su mayoría, los graduados sirvieron eventualmente en el ministerio vocacional de la iglesia local. Desafortunadamente, no hay datos de la graduación y designación ministerial de los graduados de La Escuela Bíblica. Sin embargo, aunque no hay datos exactos de la asistencia, graduación, o designación de ellos, ésta no es la palabra final de la eficacia del primer instituto de habla hispana Cuadrangular. Desde 1923 a 1944, se discipuló, entrenó, y envió a suficientes líderes para plantar iglesias y servir en sesenta y tres congregaciones de habla hispana (Rowe 2007), para servir además, en varias misiones de habla hispana que delineaban la región del sur de California y en las que fueron plantadas alrededor de la nación.

Capítulo Doce

La Inversión Personal y Cooperación de la Hermana McPherson con el Liderazgo de Habla Hispana:

Fundamentos Bíblicos de Entrenamiento Y El Evento de Entrenamiento

La comunidad de habla hispana se maravillaba de que una evangelista de la estatura de la hermana McPherson diera tanto de su tiempo, y más importante, de sí misma a ellos.

Se ha dicho tanto desde el púlpito en el Templo Ángelus y a través de la publicación Crusader, sobre lo que la hermana McPherson piensa de la gente mexicana, que ahora quisiéramos decirle al mundo lo que pensamos acerca de ella. Hace algún tiempo, se le pidió a la hermana que predicara entre la gente mexicana. Ella no preguntó, "¿cuánto me va a pagar?..." Más bien, ella contestó dulcemente, "ciertamente lo haré..." Encontramos difícil de creer que la evangelista más grande del mundo viniera a hablarnos... desde esa noche, hemos aprendido amar a la hermana y hemos sido muy bendecidos por su ministerio ("un tributo a la hermana McPherson," *Foursquare Crusader* 16 de abril 1930, 5).

El liderazgo y congregación de la Misión Mexicana McPherson amó a la hermana McPherson, y ella también los amó. El poema de Edward Velasco, escrito primero en español y después traducido al inglés, describe tanto las formas en que la hermana McPherson expresó su amor y apoyo, y lo que la comunidad de habla hispana sentía por ella (Velasco 1930, 6). Parece que en la publicación del poema en el boletín de la iglesia, el Sr. Velasco estaba hablando a nombre del liderazgo y congregación de la Misión Mexicana McPherson con su permiso:

Hermana McPherson
Nuestra Amiga

Una amiga fiel en la hermana encontramos,
un regalo inestimable del amable favor de Dios.
Una amiga que conoce nuestros deseos y dolores,
que nos ve cargados con cadenas.
En faltas y fracasos, permanece nuestra amiga.
Una amiga constante a través de la alegría o el dolor,
quien nos guía a ése mañana iluminado.
Su amor una torre de fortaleza será, en superar la adversidad
y ganar mayores victorias, nuestro amiga.
Una amiga cariñosa cuyo corazón puede sentir
cada una de nuestras alegrías,
y dulcemente sanar las heridas de nuestro espíritu adolorido
Ella comparte nuestros pensamientos, disipa nuestro miedo,
nuestros corazones hambrientos, llena con ánimo—
Nuestra amiga.

Un poema, que como instrumento literario, señala el deseo del autor de expresar más que información, pero, con la información, también evocar sensaciones y emociones (*Diccionario Webster de*

Siglo Veinte 1983, 1388). El poema de Sr. Velasco describe ciertos hechos sobre la relación de la hermana McPherson con la congregación, así como sentimientos profundos de respecto, cuidado genuino, disponibilidad, compañerismo, empatía, y sinceridad. No hay ninguna señal indirecta de una posición superior o acercamiento condescendiente a miembros de la iglesia o la congregación en conjunto. Según lo representado por el Sr. Velasco, parece haber una conexión personal profunda entre la hermana McPherson y toda la congregación de habla hispana.

La congregación de la Misión Mexicana McPherson sentía que ella los conocía, entendía, y cuidaba profundamente. Su respuesta es aun más notable en que la hermana McPherson no estaba demasiado familiarizada con su cultura, no hablaba español, y requería de un intérprete cuando quería comunicarse con la mayoría de la congregación. De hecho, la ven como una líder mayor que los dirige mientras siguen a Jesús pero a la vez como una amiga cariñosa que permanece con ellos en su caminar.

El autor de este poema breve, a nombre de toda la congregación, cree que la hermana McPherson quiere solamente lo mejor para ellos pero no les impone lo que ese "mejor" debe ser. El lenguaje del poema refleja una amistad entre una pastora y su congregación. El Sr. Velasco celebra esta amistad titulando el poema "La hermana McPherson. Nuestra amiga" y coloca la frase "nuestra amiga" a través de versos. Hay pocos, si algún ejemplo, de una amistad de este tipo entre la líder prominente de una iglesia de habla angla y la amplia comunidad de habla hispana en Los Ángeles durante el ministerio de la hermana McPherson. ¿Cómo se conectó ella tan profundamente con gente a la que no entendía completamente y con la que generalmente no podría hablar sin la ayuda de un intérprete?

La hermana McPherson había elegido un estilo de liderazgo relacional al ministrar y trabajar en conjunto con la Misión Mexicana McPherson y la comunidad de habla hispana que servía. Claramente, la percepción provista por los años, predijo una perspectiva que ella probablemente no compartía y ofrece descripciones que ella no hubiera usado. En el lenguaje actual, la hermana McPherson eligió entrenar al liderazgo y a la congregación de habla hispana incluyendo los principios de entrenamiento en su servicio hacia ellos.

La Importancia de un Entrenador

Cada equipo tiene un entrenador. La contribución más importante de un entrenador es lograr el mejor esfuerzo de cada miembro del equipo y el mejor esfuerzo del equipo en conjunto. Esta definición operacional maravillosa también se aplica al oficio pastoral. El entrenamiento es un modelo de liderazgo de honor y respeto, y un estilo muy apropiado al trabajar con otras culturas y grupos lingüísticos.

La naturaleza de la participación de la hermana McPherson con los líderes y congregaciones de habla hispana y la respuesta a su liderazgo, sugieren que ella no los dirigía desde una posición de autoridad autocrática o en relación jerárquica al caminar con ellos. Como entrenadora, su interés era ayudarles a ser y hacer lo mejor que podían para Jesús.

Entrenamiento y Tutoría

Las distinciones entre entrenamiento y tutoría no son fijas, y sus diferencias se destacan de forma diferente en libros y materiales de entrenamiento y desarrollo de liderazgo. Para los propósitos de este proyecto, la tutoría se entiende como la actividad de invertir la vida de uno como maestro o líder con posición (aunque un liderazgo con posición no requiere una relación de tutoría). La tutoría se experimenta en momentos de enseñanza y consejo directivo del mentor al extraer de su experiencia, educación, o rol como líder con posición. La tutoría se experimenta generalmente a medida que uno imparte algo a otro.

El entrenamiento se entiende como acercarse a alguien y ayudarlo como amigo, colega, o socio. El entrenamiento se experimenta en diálogos mutuos y respetuosos donde el entrenador se ubica junto al que está siendo entrenado con el objetivo de ayudarlo a llegar a su mejor solución o meta. El entrenador entonces, protege y asiste al entrenado a medida que él o ella implementan su decisión. El entrenamiento es, por lo general, la experiencia de ayudar a alguien a descubrir algo y a ponerlo en práctica.

Por supuesto, no hay límites fijos para estos conceptos, como cuando estas definiciones se aplican al entrenador de béisbol. El entrenador da "tutoría" cuando fija el orden de bateo, le dice a un joven bateador que tome un paso corto al batear, y toma las decisiones del campo. El entrenador esta "entrenando" cuando observa la postura del que batea y hace preguntas al bateador acerca de cómo siente, o cómo lo afecta la oscilación, o cuando el entrenador anima al jugador antes de un gran juego y lo deja jugar sin mucha dirección.

De la misma forma, un líder pastoral diariamente se moverá entre la tutoría y el entrenamiento; aun así, en los modelos de organización jerárquicos, lugar en que la iglesia se encuentra más a menudo, el entrenamiento es el estilo de liderazgo menos utilizado y apreciado. Es mucho más fácil y rápido decirle a alguien qué hacer y cómo hacerlo.

¿Es el Entrenamiento una Actividad Bíblica y Espiritual?

Algunos pueden oponerse al término "entrenador," aplicado a los procesos de desarrollo pastoral o desarrollo del liderazgo de la iglesia porque entienden la palabra "entrenador" más comúnmente en términos de deporte. Las preguntas más importantes tienen que ver con si las funciones de un "entrenador" y los elementos de un entrenamiento se hallan en la Biblia o no. Esta preocupación es más que académica para el líder en la iglesia que está intentando descubrir, utilizar, y desarrollar las herramientas y sistemas de aptitud que han sido creados por Dios para servir a su pueblo.

La iglesia nunca cumplirá la misión de Dios como comunidad llamada y enviada a través de esfuerzos y técnicas humanas. Al mismo tiempo, mucho de lo que la iglesia hace diariamente no se encuentra específicamente en la Biblia. No tenemos ninguna liturgia bíblica establecida ni encontramos una directriz clara para la organización de la iglesia o definición de los términos anciano o diácono.

Este concepto de unirse a otro para asistirlo como amigo o colega es bíblico y es el estilo de liderazgo que sirve mejor al ministerio y asociaciones interculturales.

Principios Bíblicos en Eventos Deportivos En el Nuevo Testamento

El evento deportivo es común entre culturas y con frecuencia puede representar lo mejor y lo peor de los valores de ellas. Los deportes siempre tienen que ver más que el juego mismo. No es extraño, por lo tanto, que encontremos a dos escritores del Nuevo Testamento haciendo uso de los deportes y eventos deportivos como ilustraciones y metáforas para asistir en la explicación de asuntos espirituales.

El apóstol Pablo, valiéndose de los juegos romanos y escribiendo a la gente que estaba muy familiarizada con estos, utiliza la pista de carreras para animar a los creyentes en su caminar con Jesús y a vivir sus vidas sirviéndole a él y otros:

¿No saben que en una carrera todos los corredores compiten, pero sólo uno obtiene el premio? Corran, pues, de tal modo que lo obtengan. Todos los deportistas se entrenan con mucha disciplina. Ellos lo hacen para obtener un premio que se echa a perder; nosotros, en cambio, por uno que dura para siempre. Así que yo no corro como quien no tiene meta; no lucho como quien da golpes al aire. Más bien, golpeo mi cuerpo y lo domino, no sea que, después de haber predicado a otros, yo mismo quede descalificado (1 Corintios 9:24-27).

Subí por causa de una revelación y les presenté el evangelio que predico entre los gentiles, pero lo hice en privado a los que tenían alta reputación, para cerciorarme de que no corría ni había corrido en vano (Gálatas 2:2).

Manteniendo en alto la palabra de vida. Así en el día de Cristo me sentiré satisfecho de no haber corrido ni trabajado en vano (Filipenses 2:16).

Así mismo, el atleta no recibe la corona de vencedor si no compite según el reglamento (2 Timoteo 2:5).

El escritor de Hebreos utiliza una imagen de deportes poderosa para enfatizar la dedicación y unidad de pensamiento que los creyentes deben traer a su nueva vida en Cristo y su participación compartida en el reino de Dios:

Por tanto, también nosotros, que estamos rodeados de una multitud tan grande de testigos, despojémonos del lastre que nos estorba, en especial del pecado que nos asedia, y corramos con perseverancia la carrera que tenemos por delante. Fijemos la mirada en Jesús, el iniciador y perfeccionador de nuestra fe, quien por el gozo que le esperaba, soportó la cruz, menospreciando la vergüenza que ella significaba, y ahora está sentado a la derecha del trono de Dios (Hebreos 12:1-2).

¿Quién está ayudando a estos creyentes de la iglesia primitiva a aprender las reglas, a entrenar, y practicar sus diversas habilidades? ¿Quién está observando su práctica y proporcionando retroalimentación? ¿Quién esta proveyendo dirección y ayudando a mantener responsabilidad de tal manera que ninguno sea descalificado? Con riesgo de tomar libertades indebidas con un instrumento literario bíblico, cada gran equipo deportivo es servido por un entrenador competente, hábil, efectivo e intencional y, este también parece ser el caso de los creyentes imaginados en estos textos.

Entrenando a los Creyentes a la Fidelidad y la Excelencia

Si el entrenador no fuera nada más que un amigo dispuesto a ayudar cuando sea necesario y el entrenamiento no fuera nada más que un tiempo regularmente programado para reunirse a dialogar, orar, y asegurar responsabilidad, esto le serviría claramente al pueblo de Dios. Sin embargo, si el entrenador, tiene más que dar y el entrenamiento imita una manera en que el Señor desea ministrar a su pueblo, entonces el entrenador y la disciplina de entrenamiento llegan a ser tanto una obra bíblica y espiritual y útil a la vez.

El entrenamiento que se hace en sumisión a la Palabra de Dios contiene elementos de antropología y teología bíblicas y honra la gran suma de pasajes que muestran a Dios obrando en y a través de su pueblo al servirse unos a otros. De hecho, las implicaciones extraordinarias de la frase bíblica "unos a otros" (α0λλη/λων) al ser usada unas veinticuatro veces en el Nuevo Testamento en el contexto de servir, perdonar, amar, hablar, o cuidar a otro (Moulton, Geden, Moulton 1980, 43-44), habla de los elementos de la participación de un entrenador y los elementos de un entrenamiento bíblico.

Jesús y los Discípulos

Si Jesús y los discípulos hubiesen sido vistos desde el ángulo del potencial humano, afectando al mundo profundamente y juzgando sobre la base de la experiencia, habilidad, educación, y conexiones políticas, pocos, si algunos, hubieran pensado que ellos establecerían una fe que sería de alcance mundial en cuatro siglos y transformaría la gente de cada cultura y grupo lingüístico con que se encontraron. Incluso, cuando los primeros doce hombres se redujeron a once con la apostasía y suicidio de Judas Iscariote, la iglesia se mantuvo viva. Esto fue desfavorable y preocupante al principio, pero Jesús no se desanimó. Él sabía qué había en los corazones de aquellos que él seleccionó y autorizó.

Aunque el fracaso de Judas fue trágico, esto no invalidó las buenas nuevas ni amenazó el éxito de esta nueva comunidad. El ministerio terrenal y las relaciones personales que Jesús consolidó con sus discípulos, establecieron la plataforma para su futura participación en éste movimiento mundial. Jesús fue un entrenador para los discípulos.

Jesús como Entrenador de los Discípulos

Con frecuencia deducimos que los discípulos tenían fe en Jesús, pero también es verdad que Jesús tenía fe en los discípulos que se convertirían pronto en apóstoles. Éste es el primer componente esencial para ser un entrenador: creer en el potencial del que es entrenado. Cada entrenador de éxito puede ver el potencial de los miembros de su equipo. Jesús tenía que saber que su trabajo e inversión valdrían la pena, porque los discípulos necesitarían su ayuda, dirección, recursos, y protección al aprender a depender de él y el uno del otro.

El método de Jesús para guiar a los discípulos, es un prototipo del mejor entrenamiento. Steve Ogne (Ogne 2002, 2-3) identifica diez cualidades de entrenamiento que se pueden encontrar en el liderazgo de Jesús al trabajar con los discípulos y otros:

1. Él hizo preguntas profundas, reveladoras y de auto-descubrimiento (lea Juan 4:1).

2. Él quería siempre que la gente tuviera éxito (lea Mateo 5:1).

3. Él celebró las victorias y los descubrimientos (lea a Mateo 16:17).

4. Él afirmó la toma de riesgos e investigaciones (lea a Mateo 15:21-28).

5. Él autorizó y envió a la gente a servir y les hizo preguntas cuando regresaban de servir (lea Lucas 9:1-10; 10:1-20).

6. Él conocía y cuidaba a la gente que servía (lea Juan 1:43-51; 14: 1).

7. Él discernió las necesidades de la gente y les servía (lea Marcos 2:1-12).

8. Él estaba disponible para sus discípulos y pasó tiempo con ellos (el registro bíblico de su ministerio con los discípulos).

9. Él comenzó con la gente "donde estaba" y después le ayudó a crecer más allá de donde había comenzado (lea Mateo. 16:18; Juan 21:15-19).

10. Él tenía compasión y empatía por aquellos a quienes servía (lea Mateo 14:14; Lucas 7:13).

Estas diez cualidades son los resultados deseados de un entrenamiento bíblico según lo modelado en el ministerio de Jesús, y es así como él preparó a los discípulos para guiar a esta nueva comunidad, llamada iglesia, que él edificaría. Con su ejemplo y enseñanza antes de su arresto, Jesús estableció su definición de un liderazgo verdadero y cómo el líder verdadero debe vivir sus responsabilidades de liderazgo:

> *Vosotros me llamáis "Maestro," y "Señor"; y decís bien, porque lo soy. Pues si yo, el Señor y el Maestro, he lavado vuestros pies, vosotros también debéis lavaros los pies los unos a los otros. Porque ejemplo os he dado, para que como yo os he hecho, vosotros también hagáis. De cierto, de cierto os digo: El siervo no es mayor que su señor, ni el enviado es mayor que el que le envió. Si sabéis estas cosas, bienaventurados seréis si las hiciereis* (Juan 13:13-17).

Jesús sirvió y continúa sirviendo y ayudando a su pueblo para que sea todo lo que él ha destinado que sea. Su gran amor por él, este α0γα/πH, es ofrecido a todos en su vida, muerte, y resurrección; y al ser recibido, transforma las vidas de los que son amados tan profundamente. Ellos descubren que Jesús quiere lo mejor para ellos y él está con ellos momento a momento ayudándoles a encontrar y abrazar todos sus dones valiosos. En el corazón de un buen entrenador se halla la preocupación de que una persona llegue a ser todo lo que puede ser, y descubrir todo lo que Dios tiene para ella; este es el mejor resultado de un entrenamiento.

Cuando consideramos a Jesús como entrenador, su vida y ministerio son nuestros estándares al considerar la manera en que debemos servirnos unos a otros; y él ha modelado muchos comportamientos que podemos imitar. Por ejemplo, Jesús fue un amigo fiel mientras estuvo con los discípulos, y él quiere que sus seguidores sean amigos fieles también (lea Juan 15:14; Romanos 16: 5, 9, 12). Jesús ascendió al cielo al final de su ministerio terrenal (lea Hechos 1:9) y envió inmediatamente a otro consolador (α2λλον παρα/κλητον; lea Juan 14:16), el Espíritu Santo, para dar poder, condenar, animar, y enseñar a su pueblo hasta que él regrese por su iglesia (lea Juan 16:7; 14:16-17, 26). El ministerio de entrenamiento de Jesús no concluyó cuando él ascendió al cielo, sino que continúa con el ministerio del Espíritu Santo viviendo en su pueblo y dándole poder para servir.

Jesús Prepara el Camino para el Ministerio del Espíritu Santo

Jesús presenta a otro entrenador con la misma capacidad en la persona y ministerio del Espíritu Santo. En tres pasajes relativamente breves, Jesús promete a sus discípulos que no serían abandonados sino que serían cuidados, autorizados, enseñados, y guiados por el Espíritu Santo:

Y yo rogaré al Padre, y os dará otro Consolador, para que esté con vosotros para siempre—el Espíritu de verdad (Juan 14:16-17).

Os he dicho estas cosas estando con vosotros. Mas el Consolador, el Espíritu Santo, a quien el Padre enviará en mi nombre, él os enseñará todas las cosas, y os recordará todo lo que yo os he dicho (Juan 14:25-26).

Pero cuando venga el Espíritu de verdad, él os guiará a toda la verdad; porque no hablará por su propia cuenta, sino que hablará todo lo que oyere, y os hará saber las cosas que habrán de venir (Juan 16:13, 14).

Cuando el tiempo en que Jesús dejaría esta tierra se acercaba, dijo: *"En la casa de mi Padre muchas moradas hay… voy, pues, a preparar lugar para vosotros"* (Juan 14: 2). ¿Qué quería decir él con esta declaración? y, ¿por qué debía irse? Los discípulos se preguntaban y cuestionaban sus palabras como si él nunca hubiera dicho algo similar antes. De hecho, Jesús había hablado de esto en ocasiones numerosas, pero los discípulos no lo habían entendido (lea Mateo 16:21; 17:22). Los discípulos no se dieron cuenta del significado de sus palabras cuando habló de las *"corrientes de agua viva"* que *"correrían de su interior"* en todos los que creían en él (Juan 7:38).

En retrospectiva, y después de experimentar el cumplimiento de esta promesa, Juan hace un comentario de lo que no fue comprendido por aquellos que oyeron hablar a Jesús, *"Con esto se refería al Espíritu que habrían de recibir más tarde los que creyeran en él"* (Juan 7:39a). Después él agrega su nueva comprensión de por qué Jesús tuvo que irse, *"Hasta ese momento el Espíritu no había sido dado, porque Jesús no había sido glorificado todavía"* (Juan 7:39b). Jesús tuvo que ascender al cielo para que el Espíritu Santo pudiera venir y vivir en los que creen en Él.

Por supuesto, los discípulos no entendían esto y como resultado, se sentían temerosos, inseguros, y confundidos. Si no se le hubiera dado atención, estas emociones y la desorientación resultante, obstaculizarían el cumplimiento de los propósitos que Jesús tenía para sus vidas y ministerios, así que con ternura él trata con sus preocupaciones y preguntas.

Jesús, hábilmente, hizo dos cosas en éste pasaje. Primero, él guió a sus seguidores en su futuro—un futuro que todos sentían se había evaporado unos minutos antes. Jesús les reveló cómo les ayudaría a lograr lo que él les había llamado, entrenado, y animado a hacer. Lo que al principio parecía ser como si la vida estuviera girando fuera de control, se convirtió en el despliegue del plan de Dios. Los discípulos no lo entendían todo, pero se dieron cuenta, de una manera extraña, que tenían un futuro porque Jesús iba guiándolos en el camino.

En segundo lugar, Jesús consoló a sus amigos con una compasión profunda y cuidado gentil en el momento más vulnerable. Él amaba a los discípulos y se preocupaba por su confusión y dolor. Cierto, Jesús no estaría más con ellos; y aunque les dijo que él conocía el camino al lugar a donde iba (lea Juan 14: 4), no estaban seguros sobre cuál era éste camino ni cuando regresaría por ellos como había prometido (lea Juan 14:3, 5-6). Quizás las palabras más importantes que él pudo haber dicho fueron éstas:

> *Y yo rogaré al Padre, y os dará* **otro Consolador, para que esté con vosotros para siempre— el Espíritu de verdad,** *al cual el mundo no puede recibir, porque no le ve, ni le conoce; pero vosotros le conocéis, porque mora* **con** *vosotros, y estará* **en** *vosotros. No os dejaré huérfanos; vendré a vosotros* (Juan 14:16-18, énfasis agregado)

Estas promesas de Jesús nos ayudan a entender porqué se sentía tan confiado de que el futuro de sus discípulos estaba garantizado y de que iban a estar seguros. Jesús fue el primer consejero: *"Hijitos míos, estas cosas os escribo para que no pequéis; y si alguno hubiere pecado, abogado tenemos para con el Padre* [παρα/κλητον] *— a Jesucristo el justo* (1 Juan 2: 1). Él aseguró a sus amigos que rogaría al Padre, y el Padre enviaría a otro consejero para servirles en su lugar.

Jesús identifica a éste que viene como el Consejero, παρα/κλητοφ, *"uno que viene en favor de otro, un mediador, un intercesor, y un ayudante"* (Arndt y Gingrich 1957, 623-624). Él Espíritu Santo, identificado como el Espíritu de Verdad, vendría al lado de los discípulos, como el término griego lo sugiere, con el propósito de ayudar, y éste rol de ayuda es la cualidad esencial del entrenador, a diferencia del rol en el que se da dirección. El Espíritu Santo es la persona que viene a socorrer al creyente y se coloca junto a él cuando necesita ayuda o está en apuros. El Espíritu Santo es α2λλοφ παρα/κλητοφ "*otro consejero con la misma capacidad*" (Arndt y Gingrich 1957, 39). Juan está indicando que el ministerio del Espíritu Santo sería del mismo carácter y propósito que el ministerio de Jesús.

El Espíritu Santo como Ayudador o Entrenador Del Pueblo de Dios

Jesús, en su ascensión, le pidió al Padre que enviara al Espíritu Santo de manera que ayudara a su pueblo momento a momento por el resto de sus vidas. Es el ministerio del Espíritu Santo el que coloca el fundamento para la promesa de Jesús de no dejar como huérfanos a los discípulos (lea Juan 7:38-39; 14:18). El Espíritu Santo como παρα/κλητοφ entrena a los discípulos, y su presencia, que otorga poder y ayuda, es esencial para el cumplimiento de la misión de la iglesia. Todos los creyentes experimentan este ministerio de entrenamiento cada vez que el Espíritu mismo da testimonio a sus espíritus, de que son hijos de Dios (lea Romanos 8:16) y los dirige a toda verdad (lea Juan 16:13). El Espíritu Santo enseña y recuerda a los discípulos de Jesús todo lo que Jesús dijo (lea Juan 14:26). El Espíritu Santo les inspira a que alaben, adoren, y den gracias a Dios (lea Romanos 8:26-27; 1 Corintios 14:15; Efesios. 5:18-20; Filipenses. 3:3). Con respecto a la misión de la iglesia, el Espíritu Santo llama al pueblo de Dios a áreas específicas de servicio (lea Hechos 13:1-4), y los autoriza a hacer la obra que Él los llama a hacer (lea Hechos 1:8; 1 Tesalonicenses 1:5).

Por supuesto, el Espíritu Santo, como la tercera persona de la Deidad y Dios en sí mismo, ejerce autoridad y también dirección. Él llamó a Bernabé y Saulo al ministerio (lea Hechos 13:2); llamó a Felipe a ministrar al eunuco etíope (lea Hechos 8:27-29); y prohibió que Pablo y su equipo viajaran a Asia y a Bitinia (lea Hechos 16:6-7). Esto indica que la obra distintiva del Espíritu Santo es de venir al lado para ayudar y proveer mediación y como resultado, el pueblo de Dios experimenta ese sentir de entrenamiento momento a momento.

La Sumisión al Espíritu Santo Crea
Discípulos que Ministran como Jesús

De la misma manera, puede ser que el pueblo de Dios tenga una labor similar como hermanos y hermanas viviendo juntos en el Cuerpo de Cristo. Parecería que este tipo de ministerio del Espíritu Santo de ayuda, apoyo, y recursos, fue la intención de Pablo al escribir sobre el Cuerpo de Cristo (lea Romanos 12:3-8). La escritura de Pablo en esta carta emplea el término indicativo (lea Romanos 1–11) seguido por el imperativo (lea Romanos 12–16) y los capítulos finales de Romanos contienen muchas exhortaciones dadas cariñosamente a los romanos para animarlos a amarse, cuidarse, y apoyarse unos a otros.

A medida que Pablo intenta dirigir a los creyentes corintios en su trayectoria, hallamos un lenguaje y propósito similar (lea 1 Corintios 12-14). Los dones del Espíritu son dados para dotar al pueblo de Dios de manera que ellos *"hagan las mismas cosas"* que Jesús hizo (lea Juan 14:12) al vivir como testigos desde su Jerusalén a las partes más lejanas de la tierra.

De la misma manera que somos llamados a imitar a Jesús y a otros creyentes (lea 1 Corintios 11:1; Filipenses 3:17), hay un sentido en el cual los creyentes harían bien en imitar este ministerio de ayuda del Espíritu Santo, un ministerio que puede identificarse como παράκλητον. Este encuentra su mejor expresión cuando un creyente se acerca a una persona para ayudarle o servirle. Esto parece reflejar el corazón de Dios para su pueblo y el resumen de las exhortaciones de "unos a otros" (α0λλη/λων) en el Nuevo Testamento.

Es verdad que la biblia nunca invita o requiere explícitamente la imitación del ministerio del Espíritu Santo, aun así παρα/κλησιφ consuelo, estímulo; un derivado de παρακαλε/ω *como* as παρα/κλητοφ se encuentra en el Nuevo Testamento y se aplica al pueblo de Dios o su ministerio. En Hechos 4:36 υι9ο∴φ πα-ρακλη/σεωφ es usado como el nombre Bernabé, el *hijo de consolación*. Una vez más el *consuelo* (παρα/κλητοφ) se identifica como don del Espíritu (lea Romanos 12: 8), y el que recibe el don es llamado a usarlo en el servicio del Cuerpo de Cristo. Finalmente, los derivados de παρακαλε/ω se utilizan para llamar a la iglesia al consuelo mutuo con el consuelo que ha recibido primero de parte de Dios el Padre (lea 2 Corintios 1:3-7).

La intención de Dios es utilizar a su pueblo para cumplir su promesa de consolar a su pueblo en sus sufrimientos. Jesús, el παρα/κλητοφ, era un ayudante para la gente, y esta evidencia textual es más que una sugerencia; la iglesia ha sido comisionada para "venir a ayudar" de la misma manera que Jesús lo hizo (lea Juan 14:12).

Que Seas Cubierto por el Polvo Levantado por los Pies de Tu Rabino

En los días de Jesús, el discípulo de un rabino de sabiduría notable, o profesor destacado, no solamente estaba comprometido a aprender todo lo que pudiera como discípulo, también seguía a su líder de cerca y lo imitaba exactamente. A través de los años, esta forma de aprendizaje y seguimiento se ha preservado en los proverbios, en la tradición oral judía y la ley. El Perkei Avot ("las Éticas de Nuestros Padres "), Mishnah Avot 1, Mishnah 4 registra tal exhortación dirigida al discípulo entusiasta de un sabio: Él debe seguir de cerca a su maestro para ser cubierto por "el polvo levantado por sus pies."

MISHNAH 4. Yose b. Yo' ezer (un hombre) de Zeredah, y Yose b. Yohanan [un hombre] recibido de Jerusalén [la tradición oral] de ellos. Yose. b. Yo' ezer solía decir: "Permite que tu casa sea un lugar de reunión para los sabios, cúbrete con el polvo de sus pies, y bebe con sed sus palabras." (Folletos de Beth Emet Perkei Avot)

La única manera práctica de lograr esto—ser cubierto "con el polvo de sus pies" —era caminar tan de cerca detrás de ellos que el polvo levantado por sus pies cubriera y permaneciera sobre el discípulo. Este es un cuadro completo de lo que significa ser un discípulo y, aun más importante, de tener una profunda dedicación a su maestro que indica su buena voluntad de obedecer. La tarea del discípulo es aprender, memorizar, y ensayar, pero el corazón del discipulado es la imitación. La imitación es la manera en que el discípulo prueba su fidelidad al vivir los principios y enseñanzas de su maestro.

Imitando a Jesús al Rendirse al Espíritu Santo y Seguir el Ejemplo de Otros

Los discípulos que se rinden al Espíritu Santo y cooperan con su dirección, inevitablemente comienzan a imitar a Jesús, pues este es un resultado del ministerio del Espíritu de Dios. El Espíritu Santo lleva al discípulo a una vida santa (lea Romanos 8:14), lo dirige a toda la verdad (lea Juan 16:13), le recuerda las palabras de Jesús (lea Juan 14:26), y generosamente le da fortaleza para seguir a Cristo, obedecer sus mandamientos, y para recibir su amor (lea Efesios 3:16-21).

No es ninguna sorpresa que el apóstol Pablo pudiera invitar osadamente a los corintios, "*Sed imitadores de mí,* [μιμηται/ μου], *así como yo de Cristo*" (1 Corintios 11:1); él sabía que su ejemplo era digno de confianza pues lo cubría el polvo de los pies de Jesús. Encontramos una exhortación similar del apóstol Pablo a la iglesia filipense: "*Hermanos, sed imitadores de mí* [συμμιμηται/ μου], *my mirad a los que así se conducen* [περιπατου~νταφ] *según el ejemplo* [τυ/πον] *que tenéis en nosotros*" (Filipenses 3: 17). La invitación de Pablo a imitarlo a él y a otros que siguen fielmente el ejemplo de vida modelado por Jesús, recuerda a la iglesia que estamos inextricablemente juntos en la fe y el amor y por lo tanto, debemos recordar que no vivimos solamente para nosotros mismos.

Imitando a Dios al Entrenarnos Unos a Otros

Debemos no sólo imitar a los que viven una vida digna. Pablo le suplica a la iglesia en Éfeso que imite a Dios: *Sed, pues, imitadores de Dios como hijos amados y andad en amor, como también Cristo nos amó, y se entregó a sí mismo por nosotros,"* (Efesios 5:1).

Este llamado a imitar a Dios habla ciertamente tanto del ministerio de Jesús como del ministerio del Espíritu Santo; entonces, ¿de qué manera significativa puede imitarlos la iglesia? La respuesta se puede encontrar en que Jesús es el παρα/κλητοφ (lea Juan 14:16; 1 Juan 2:1), y el Espíritu Santo es un α2λλοφ παρα/κλητοφ (lea Juan 14:16; 15:26). Por lo tanto, el creyente imita a Jesús y al Espíritu Santo al convertirse algo en un *para/klhtoj* también. Esto es lo que describe el servicio del entrenador y su participación en el proceso de entrenamiento.

El ministerio de ayuda de Jesús, y el ministerio de consejería del Espíritu Santo, modelan las cualidades y valores de una experiencia de entrenamiento. Un líder, al acercarse a un hermano o hermana, trayendo con él cualquier recurso disponible—ánimo, recordatorios, percepciones, capacitación, responsabilidad, y bondad—provee el componente necesario que complementa un discipulado y proceso de desarrollo del liderazgo.

"Entrenadora" McPherson

La razón singular por la que Aimee Semple McPherson fue amada y respetada por la comunidad de habla hispana y especialmente por el liderazgo de la misión mexicana McPherson, fue el resultado de su amor y respeto hacia ellos como personas y como pueblo. Un amigo no ama y respeta a un amigo al relacionarse de una manera jerárquica; por el contrario, demuestra el amor y respecto cuando el amigo viene a su lado y le ayuda.

La hermana McPherson podía ser una líder que daba dirección, y los documentos y artículos de la Iglesia Cuadrangular la describen como una líder profética y maestra formidable. El rápido desarrollo de la Misión Mexicana McPherson y La Escuela Bíblica eran en gran parte el resultado de su liderazgo, movilización de fondos, y declaración de la visión ("Misión Mexicana McPherson," *Foursquare Crusader* 21 de mayo 1930, 3). Esto no es sorprendente; y generalmente dentro de la cultura de la iglesia, se espera un liderazgo directivo. Es más probable que la mayoría de los líderes empleen un estilo de liderazgo "de arriba hacia abajo."

Lo más asombroso es que la hermana McPherson tuviera también la capacidad de emplear un estilo de entrenamiento cuando era apropiado y ella eligió utilizar este estilo con la comunidad de habla hispana de Los Ángeles. El racismo y los estereotipos culturales de su día no recomendaban un estilo de dirección que le trajera lado a lado como amiga de la comunidad de habla hispana, por el contrario, le recomendaba que liderara con fuerza y dirección.

En 1935, la fuerza de la amistad entre la hermana McPherson, el Templo Ángelus, los pastores Gamboa y Cortés, y la Misión Mexicana McPherson, fue probada y demostrada durante esos días difíciles, en que la Misión Mexicana McPherson desarrolló su propia identidad y, en cierto modo, se separó del Templo Ángelus. La amistad y sociedad mutua experimentada por años, permitieron que los pastores Gamboa y Cortés y la congregación de la Misión Mexicana McPherson, continuaran trabajando con la hermana McPherson y el Templo Ángelus. Los desafíos y malentendidos no podían destruir la amistad que se había desarrollado y consolidado durante años.

El entrenamiento nunca se basa en una relación de posición, sino en la buena voluntad de ayudar. La hermana McPherson y la Iglesia Cuadrangular habían perdido su "ventaja de posición" en la separación de la Misión Mexicana McPherson y probablemente habrían perdido también su amistad si la "posición" hubiese sido la base y estructura de su relación. El hecho de que la amistad sobreviviera y los pastores y congregación de la Misión Mexicana McPherson continuaran apoyando y trabajando en conjunto con la Iglesia Cuadrangular, indica que la amistad era de hermandad, respeto, apoyo, y disponibilidad como colega. En una palabra, la hermana McPherson era su entrenadora, y las estructuras funcionales no pueden dañar una relación que se basa sobre todo en el respeto y la ayuda.

Claramente, incluso con los sentimientos que la separación creó en todos los implicados, cada uno encontró su manera de poder celebrar esta nueva relación. Dos años después de la separación, en enero de 1937, un artículo en *Foursquare Crusader* confirmó que el espíritu de cooperación entre estas dos grandes congregaciones era más fuerte que nunca y que la nueva relación no había sido dañada de ninguna manera:

> *La Misión Mexicana McPherson Marcha Adelante. La Misión Mexicana McPherson… está teniendo un avivamiento glorioso… La misión fue construida y dedicada por nuestra hermana McPherson, y fue apoyada durante cinco años por el templo Ángelus. La iglesia ahora es autosuficiente. Deseamos expresar a la hermana nuestra gratitud, porque este edificio hermoso fue levantado con sus esfuerzos. Hay un gran futuro para la obra Cuadrangular Mexicana en esta ciudad. La iglesia es pastoreada por Antonio Gamboa, graduado de L.I.F.E.* (La Misión Mexicana McPherson Marcha Adelante," *Foursquare Crusader* 20 de enero de 1937, 5).

La hermana McPherson eligió trabajar con la comunidad de habla hispana, ayudándoles de maneras que dejaban sentir su amistad. En el lenguaje actual, la hermana McPherson fue una entrenadora de la comunidad de habla hispana. Obviamente, ella nunca habría utilizado personalmente el término "entrenadora" para describir la manera en que lideró y sirvió a otros. Es desafortunado que, con frecuencia, la palabra "entrenador" y la actividad de "entrenamiento" sea entendida en términos deportivos y no por lo que contribuye a un equipo, cualquier equipo. El valor de un entrenador y las ventajas de ser entrenado pueden encontrar su aplicación en cualquier ambiente en el que una persona quiere superarse y hay alguien que puede contribuir a su crecimiento y desarrollo como colega y amigo. Un entrenador puede ser de beneficio valioso en los procesos de desarrollo del liderazgo de la iglesia local.

Obras Citadas

Obras Publicadas

Arndt, William, and Wilbur Gingrich. 1957. *A Greek-English lexicon of the New Testament and other early Christian literature.* Chicago: The University of Chicago Press.

Bakke, Ray. 1997. *A theology as big as the city.* Downers Grove, IL: InterVarsity Press.

Blumhofer, Edith L. 2003. *Aimee Semple McPherson. Everybody's Sister.* Grand Rapids: William B. Eerdmans Publishing Company.

Bridal Call. Junio, 1917- noviembre1923. Savannah, GA: F.A. Hess.

_____. Enero, 1918- febrero, 1919 Montwait y Framingham, MA: Christian Workers Union.

_____. Marzo, 1919-junio, 1922. Los Angeles: Bridal Call Publishing House.

_____. Julio, 1922-noviembre, 1923 Los Angeles: Echo Park Evangelistic Association.

Bridal Call-Crusader Foursquare. Julio 4, 1934- diciembre 11, 1935. Los Angeles: Echo Park Evangelistic Association.

Bridal Call Foursquare. Diciembre, 1923- junio, 1934. Los Angeles: Echo Park Evangelistic Association.

Brown, Francis, S. R. Driver, Charles A. Briggs. 1979. *A Hebrew and English lexicon of the Old Testament.* Oxford: Clarendon Press.

Carry On. 1926. Annual yearbook, L.I.F.E.; Los Angeles.

Cox, Harvey. 1966. *The secular city: secularization and urbanization in theological perspective.* London: SCM Press.

Epstein, Daniel Mark. 1993. *Sister Aimee. The life of Aimee Semple McPherson.* San Diego: Harcourt Brace and Company.

Foursquare Crusader. Noviembre 25, 1926—junio 27, 1934. Los Angeles: Echo Park Evangelistic Association.

_____. Diciembre 18, 1935— junio, 1944. Los Angeles: Echo Park Evangelistic Association.

Foursquare World Advance. Septiembre, 1964—Segundo Cuatrimestre, 2003. Los Angeles: International Church of the Foursquare Gospel. ISSN 0015-9182.

Guder, Darrell L., ed. 1998. *Missional church.* Grand Rapids: William B. Eerdmans Publishing Company.

Hendriksen, William. 1984a. *Exposition of Ephesians.* New Testament Commentary. Grand Rapids: Baker Book House.

_____. 1984b. *Exposition of the Gospel according to Matthew.* New Testament Commentary. Grand Rapids: Baker Book House.

Hesselgrave, David J. 2000. *Planting churches cross-culturally.* 2d ed. Grand Rapids: Baker Books.

Logan, Robert E. and Neil Cole. 1992-1995. *Raising leaders for the harvest.* Carol Stream, IL: ChurchSmart Resources.

McPherson, Aimee Semple. 1923. *This is that.* Los Angeles: Echo Park Evangelistic Association, Inc.

_____. 1973. *The story of my life.* Waco, TX: Word, Incorporated.

Morris, Leon. 1979. *The Gospel according to John.* The New International Commentary on the New Testament. Grand Rapids: Wm. B. Eerdmans Publishing Company.

Moulton, W. F., A. S. Geden, and H. K. Moulton. 1980. *Concordance to the Greek Testament.* 5th ed. Edinburgh: T. & T. Clark Ltd.

Spaulding, Charles B. 1946. *Housing problems of minority groups in Los Angeles County.* Annals of the American Academy of Political and Social Science. Labor Relations and the Public. Thousand Oaks, CA: JSTOR Sage Publications, Inc. Vol. 248 (Noviembre).

Van Cleave Nathaniel M. 1992. *The vine and the branches. A history of the International Church of the Foursquare Gospel.* Los Angeles: Iglesia Internacional del Evangelio Cuadrangular.

Fuentes del Internet

Folletos Beth Emet. Perkei avot. n.d. Traducción por Steven Lipton basada en la traducción de Socino. Acceso 23 de noviembre del 2007; disponible en http://www.shlomosdrash.com/beth_emet/ perkei_avot_1.pdf.

Oficina del Censo. Marzo 9, 1999. Acceso 3 de agosto del 2007; disponible en http://www.census.gov/population/www/documentation/twps0029/tab 06.html

Oficina del Censo. PCT10. 2000. Edad por idioma hablado en casa para la población de 5 años y más [83]. Los Angeles. Acceso 31 October de 2006; disponible en http://factfinder.census.gov/servlet/ DTTable?_bm=y&-state=dt&-context=dt&-Tables=('DEC_2000_SF3_U_PCT010')&-ds_name=DEC_2000_SF3_U&-CONTEXT=dt&-mt_name= DEC_2000_SF3_U_PCT010&-tree_id=403&-redoLog=false&-all_geo_types=N&-geo_id=86000US90026&-currentselections= DEC_2000_109H_H009&-search_results=01000US&-format=&-_lang=en.

Ezra: Reporte mensual de la actividad de la Iglesia. [Base de datos en línea] Acceso 7-8 agosto 2006 y 21 de octubre del 2007; Iglesia Internacional del Evangelio Cuadrangular, Iglesia Cuadrangular Templo Angelus.

Misiones Cuadrangulares Internacionales. Países. Acceso 24 de diciembre del 2007; disponible en http://fmi.foursquare.org/countries/.

Hilliker, Jim. Historia de KFSG. Pionera L.A. La radio cristiana concluye su transmisión después de 79 años. Acceso 14 de noviembre del 2006; disponible en http://members.aol.com/jeff560/kfsg.html.

Hobbs, Frank y Nicole Stoops. Oficina del Censo de Los Estados Unidos. Censo 2000 reportes especiales, series CENSR-4, tendencias demograficas en el siglo 20. Acceso 17 de julio del 2006; disponible en http://www.census.gov/prod/2002pubs/censr-4.pdf.

George, Deborah y Art Silverman. Aimee Semple McPherson: an oral history. National Public Radio. Lost and Found Sound. Noviembre 26, 1999. Acceso 25 de julio del 2006; disponible en http://www. npr.org/programs/lnfsound/stories/991126.stories.html.

Ramos, Christopher. The educational legacy of racially restrictive covenants: their long term impact on Mexican Americans. 4 Scholar: St. Mary's Law Review on Minority Issues 149 - 184, 159-166. Otoño 2001. Acceso 18 de febrero del 2008; available from http://academic.udayton.edu/race/04needs/housing01.htm.

Robeck, Cecil M. Biography of Aimee Semple McPherson. Acceso 3 de enero del 2008; Disponible en http://speakingoffaith.publicradio.org/programs/sisteraimee/biography.shtml.

Spurgeon, Charles H. Essential points in prayer. Sermón No. 2064, dado en el Tabernáculo Metropolitano, Newington, February 10, 1887. Acceso 15 de enero del 2008; disponible en http://www.spurgeongems.org/vols34-36/chs2064.pdf.

Time Magazine. Los Angeles. 16 de octubre, 1978. Acceso 12 de enro del 2008; disponible en http://www.time.com/time/magazine/article/0,9171,916424,00.html.

Naciones Unidas. The world at six billion. Acceso17 de julio del 2006; disponible en http://www.un.org/esa/population/publications/ sixbillion/sixbil-part1.pdf.

Ivanov, Vyacheslav. Language spoken at home by individual Los Angeles communities. *Persons Five Years and Older. Ciudad de Los Angeles, 2000 Census.* Los Angeles Almanac. Acceso 10 de febrero del 2008; disponible en http://www.laalmanac.com/LA/la10b.htm.

Otros Recursos

Angelus Temple Bulletin. 1925. Church of the Foursquare Gospel: Los Angeles (15-21 febrero).

Barahona, Adriana. 2006a. Historia de la Iglesia Cuadrangular Hispana del Templo Angelus. Un documento de investigación compilado por ésta pastora asociada del Templo Angelus Hispano.

_____. 2006b. Correo a este autor de este miembro de la facultad del Instituto Bíblico Angelus , 19 de octubre.

_____. 2006c. Una breve historia del Instituto Bíblico Angelus. Un documento de Investigación compilado en un correo electrónico al autor, 19 de octubre.

_____. 2006d. Entrevista por el autor, 21 de diciembre, Los Angeles.

Brackett, Wanda. 2008. *Numeros de Crecimiento de la Iglesia 2007*. La Iglesia Cuadrangular. El reporte refleja iglesias abiertas en Los Estados Unidos a hasta el 20 de diciembre del 2007.

Briones, D. 2007. Correo electrónico al autor, 27 de agosto: estadísticas de graduación de L.I.F.E. LPC Conteo de Graduados 1925-Presente.

Díaz, Raymundo. 2006. Correo electrónico al autor, 7de diciembre, Los Angeles.

Hayford, Jack W. 2007. Una invitación a venir conmigo a mis altares de oración. Un llamado a la oración. Carta enviada al Consejo Ejecutivo de la Iglesia Cuadrangular, noviembre.

Helms, Dr. Harold. 2006. Correo electrónico al autor, 28 de diciembre, Bakersfield.

McPherson, Rolf K. 2006. Antiguo Presidente de la Iglesia Internacional del Evangelio Cuadrangular. Entrevista por el autor, 15 de noviembre, Los Angeles.

Minutas: Minuta de la Reunión del Gabinete –Junta Directiva. 1935. Iglesia Internacional del Evangelio Cuadrangular Incorporada, 19 de noviembre.

Ogne, Steve. 2002. *Coaching leaders to multiply churches.* Notas de Clase LE-732. Northwest Graduate School of Theology. Seattle, WA.

Rowe, Susan, Steve Zeleny, Jorge Sandoval, Beverley Rios, y John Cashdollar. 2007.

Spanish-speaking congregations: 1923-1944. 10 de agosto, Los Angeles: Departamento de Archivos de la Iglesia Cuadrangular.

Sandoval, Jorge. 2006. Correo Electrónico de Sandoval al autor, 11 de agosto, Los Angeles. Archivos de la Cuadrangular.

Steward, Leita Mae. 2006. Antigua secretaria de la Iglesia Internacional del Evangelio Cuadrangular. Entrevistada por Adriana Barahona, 13 de junio, Los Angeles. Historia Temprana Relacionada con el La Iglesia Hispana del Templo Angelus, notas personales.

Zeleny, Steve. 2006a. Correo Electrónico al autor, 15 de noviembre, Los Angeles. Templo Angelus. Stats-1930, Archivos de la Cuadrangular.

_____. 2006b. Correo Electrónico al autor, 7 de septiembre, Los Angeles. Iglesias hispanas antes de 1945, Archivos de la Cuadrangular.

_____. 2007a. Correo Electrónico al autor, 27 de agosto, Los Angeles. L.I.F.E-1925-1944, Archivos de la Cuadrangular.

_____. 2007b. Correo Electrónico al autor 30 de agosto, Los Angeles. Conferencias de la Iglesia en el idioma Español, Archivos de la Cuadrangular.

Artículos de Periódicos

Angelus evangelistic training school. 1922. *Bridal Cal*, (July-August).

Angelus Temple and its needy parish—the city of Los Angeles. 1937. *Foursquare Crusader* (5 May).

Belvedere opens Spanish work. 1928. *Foursquare Crusader* (10 de octubre).

Brother H. G. Miller at Dallas, Texas. 1929. *Foursquare Crusader* (12 de junio).

Brother H. G. Miller at Dallas, Texas. 1929. *Foursquare Crusader* (29 de junio).

Brother Walkem at Mission Mexicana. 1930. *Foursquare Crusader* (18 de junio).

Building Progresses at Mexican Mission. 1930. *Foursquare Crusader* (14 de mayo).

Buyer's guide. Lantern slides. 1940. *Foursquare Crusader* (febrero).

Cortez, B. N. 1930. A tribute to Sister McPherson. *Foursquare Crusader* (16 de abril).

Dedication of new Mexican church. 1938. *Foursquare Crusader* (2 de marzo).

Echo Park evangelistic and missionary training institute. 1923. *Bridal Call* (febrero).

Enlarging at home to expand abroad. 1966. *Foursquare World Advance* (octubre).

Facts about L.I.F.E. 1929. *Foursquare Crusader* (7 de agosto).

Fifty souls saved at Spanish meeting. 1929. *Foursquare Crusader* (16 de octubre).

Filled to fulfill. Los Angeles, California. 1970. *Foursquare World Advance* (octubre).

Floral tributes—branch churches. 1944. *Foursquare Magazine* (noviembre).

Foreign language sermons. 1930. *Foursquare Crusader* (5 de marzo).

Greater education. 1927. *Foursquare Crusader* (17 de agosto).

Grand opening of the fall term of the Lighthouse of International Foursquare Evangelism. 1927. *Bridal Call Foursquare* (septiembre).

Ground broken for tabernacle. 1930. *Foursquare Crusader* (16 de abril).

In Foursquare harvest field. Mexican churches of southern district to fellowship on Monday, December 10. 1934. *Bridal Call-Crusader Foursquare* (5 de diciembre).

Jordan, Margaret. 1925. Missions. *Bridal Call-Foursquare* (enero).

Kennedy, Mother. 1930. Mexican mission making fine progress. *Foursquare Crusader* (21 de mayo).

K.F.S.G. radio graphs. 1938. *Foursquare Crusader* (4 de mayo).

La Escuela Biblica. The Mexican Bible school. 1931. *Bridal Call Foursquare* (abril).

Large baptismal class at special Mexican service. 1927. *Foursquare Crusader* (21 de diciembre).

Letters to mother. 1924. *Bridal Call Foursquare* (abril).

Life in L.I.F.E. 1934. *Bridal Call-Crusader Foursquare* (5 de diciembre).

Los Angeles. 1978. *Time*, Vol. 112 No. 16 (16 de octubre).

McIntires extended home greeting by Spanish group. 1927. *Foursquare Crusader* (16 de julio).

McPherson, Aimee Semple. 1923. Converting the world by radio. *Bridal Call* (julio).

_____. 1924. Converting the world by radio. *Bridal Call* (diciembre-enero).

McPherson Mexican mission marches on. 1937. *Foursquare Crusader* (20 de enero).

McPherson Mexican mission moves onward. 1931. *Bridal Call Foursquare* (junio).

McPherson Mexican mission progressing. 1930. *Foursquare Crusader* (7 de abril).

McPherson Mexicano mission. 1930. *Foursquare Crusader* (21 de mayo).

Members of the Angelus Temple evangelistic and missionary training institute. Term ending 1923. Aimee Semple McPherson. 1923. *Bridal Call* (julio).

Mexican friends welcomed at Temple. Spanish congregation from Watts tent fill Temple. 1927. *Foursquare Crusader* (19 de octubre).

Mexican mission dedicated. 1930. *Foursquare Crusader* (2 de abril).

Mexican mission dedicated to God. 1930. *Foursquare Crusader* (9 de julio).

Mexican mission dedication Monday. 1930. *Foursquare Crusader* (25 de junio).

Mexican mission making progress. 1930. *Foursquare Crusader* (21 de mayo).

Mexicans Foursquare! 1927. *Foursquare Crusader* (16 de abril).

Mexicans throng Temple. 1927. *Foursquare Crusader* (16 de noviembre).

Miller, Rev. Harry G. 1929. Report of Mexican work in Texas and Old Mexico. *Foursquare Crusader* (26 de junio).

Mission near completion. Mexican mission soon to be dedicated. 1930. *Foursquare Crusader* (4 de junio).

Missionary wedding. 1951. *Foursquare Magazine* (agosto).

Mrs. Dudley to speak to Mexican people November 18. 1933. *Foursquare Crusader* (15 de noviembre).

New proposed McPherson Mexicano mission. 1930. *Foursquare Crusader* (9 de abril).

News flashes from the foreign fields. 1937. *Foursquare Crusader* (20 de enero).

News from the Spanish Dept. 1929. *Foursquare Crusader* (7 de agosto).

No. 6—The commissary of Angelus Temple. 1931. *Bridal Call Foursquare* (enero).

Our Spanish mission. 1930. *Foursquare Crusader* (12 de febrero).

Powell, R. A. 1925. The Sunday School. *Bridal Call-Foursquare* (enero).

Reports from the harvest fields. Mexican work in Los Angeles growing: continuous Revival. 1934. *Bridal Call-Crusader Foursquare* (19 de septiembre).

Revival fires abroad. 1971. *Foursquare World Advance* (octubre).

S.O.S. for tabernacle. 1930. *Foursquare Crusader* (12 de marzo).

Scores pack alter [sic] at Owensmouth. 1930. *Foursquare Crusader* (5 de marzo).

Seen through the lens at Angelus Temple 1931. 1932. *Bridal Call Foursquare* (enero).

Service of King now in Spanish. 1928. *Foursquare Crusader* (23 de mayo).

Services blest at Mexicana mssion. 1930. *Foursquare Crusader* (23 de julio).

Sister visits Spanish mission. 1930. *Foursquare Crusader* (19 de marzo).

Sister was entranced by possibilities of preaching the Gospel in Panama Canal Zone and jungleland after having seenconditions of that country. 1932. *Foursquare Crusader* (9 de marzo).

Some fruits in the branches. Mexican mission gives. 1931. *Bridal Call-Foursquare* (agosto).

Spanish hour radio K.F.S.G. 1930. *Foursquare Crusader* (18 de junio).

Spanish meet [sic] is planned for Tuesday. 1929. *Foursquare Crusader* (9 de octubre).

Spanish people in Watts hear Sister. 1927. *Foursquare Crusader* (12 de otubre).

Spirit fell in Spanish meeting. 1927. *Foursquare Crusader* (14 de mayo).

Student group has special ministry at Mexican mission. 1934. *Bridal Call-Crusader Foursquare* (5 de diciembre).

Sunday School report of October 6, 1929. 1929. *Foursquare Crusader* (9 de octubre).

Tent campaigns open. 1928. *Foursquare Crusader* (27 de junio).

The International Institute of Foursquare Evangelism is dedicated unto God and the teaching of His Word. 1926. *Bridal Call Foursquare* (febrero).

The missionary bees. 1931. *Bridal Call Foursquare* (octubre).

This week at Angelus Temple. 1929. *Foursquare Crusader* (13 de noviembre).

Treadwell, Annie L. 1918. Spanish language. Orlando, Fla. May 12, 1918. *Bridal Call* (June).

278 meters-Angelus Temple-Los Angeles radio-K.F.S.G. 1924. *Bridal Call Foursquare* (junio).

Unique service stirs hearts. 1930. *Foursquare Crusader* (26 de febrero).

Velasco, Edward. 1930. Sister McPherson, our friend. *Foursquare Crusader* (29 de octubre).

Watts church to be dedicated Sunday. 1928. *Foursquare Crusader* (8 de febrero).

Wadsworth, A. L. Q.M. Sergeant, U.S.M.C. 1925. Radio mail. Verde Islands. *Bridal Call-Foursquare* (febrero).

Walkem, Rev. C. W. 1930. Dr. Holzer visits Mexican mission.*Foursquare Crusader* (22 de octubre).

Ye Foursquare book shoppe. 1928. *Bridal Call-Foursquare* (abril).